M. S. IPSIROGLU · MALEREI DER MONGOLEN

M. S. IPSIROGLU

MALEREI DER MONGOLEN

HIRMER VERLAG MÜNCHEN

Aufnahmen von A. Albeck, H. Krimer und V. Yazan

Printed in Germany · © 1965 by HIRMER VERLAG MÜNCHEN, Gesellschaft für Wissenschaftliches Lichtbild mbH · Verlagsnummer GG 197 · Klischees: Chemigraphia Gebr. Czech, München · Holzfreie Papiere: Papierfabrik Scheufelen, Oberlenningen · Satz und Druck: Kastner & Callwey, München · Buchbinderarbeiten: Simon Wappes, München · Schutzumschlag: Eugen O. Sporer, München-Gräfelfing

ZUR EINFÜHRUNG

Von den in diesem Buch wiedergegebenen Bildern gehören nur zwei der vormongolisch-seldschukischen Zeit *1, 2* an; die anderen stammen aus der mongolischen Ära des 14. Jahrhunderts, die länger dauerte als die Mongolenherrschaft und sich bis zur Timuridenzeit, also bis zum Anfang des 15. Jahrhunderts, erstreckte.

Das mongolische Weltreich umfaßte große Teilgebiete: die Länder der Goldenen Horde, d. i. Kiptschak-Rußland, weiter Iran-Persien, Tschagatai-Turkestan und schließlich das Ostreich Yuan-China.

Eine Gruppe von Bildern in unserem Buch, die wir mit der herkömmlichen kunsthistorischen Terminologie als persisch-mongolisch bezeichnen, weisen ihrer Herkunft nach auf den Westen, d. i. auf Persien und seine Nachbar- *3–7, 11–26, 50* länder, hin. Es handelt sich in dieser Gruppe um Werke, die aus der Wechselwirkung kultureller Strömungen des Westens und Ostens herauswachsen und daher mehr oder weniger den Charakter eines eigenartigen Mischproduktes aufweisen. Diese Bilder sind ihrem Stil nach eindeutig den großen Maltraditionen des Fernen Ostens und Zentralasiens verpflichtet, die die Mongolen nach Westen trugen. Der Anteil des Westens beschränkt sich dagegen mehr auf die Ikonographie der Bildgestaltung. Der Nahe Osten besaß zu dieser Zeit eine hochentwickelte Literatur in arabischer und persischer Sprache, und die Malerei der Mongolenzeit schöpfte aus den Werken dieser Literatur mit besonderer Vorliebe ihre Themen. So wurde der Grundstein der islamischen Buchmalerei gelegt. Die Illustrierung des persischen Nationalepos Šâhnâme (Königsbuch) von Firdausî um 1300 brachte eine epochale Wendung in eine Entwicklung, die von der vormongolisch-mesopotamischen Kunstrichtung zum neuen Mongolenstil führen sollte. *3–7*

Im zweiten Viertel des 14. Jahrhunderts entstanden die uns bekannten frühesten Illustrationen zur Himmelfahrt (Mi‘rac) Mohammeds. Die religiösen Themen standen in den islamischen Ländern bis zu dieser Zeit unter dem ungeschriebenen Gesetz des Bildverbots. Die Darstellungen zu der Himmelfahrtsreise des Propheten zeugen davon, daß sich unter den Mongolen die Bildgestaltung in der islamischen Welt einer uneingeschränkten Freiheit erfreute, was auf die Entwicklung der Buchmalerei im islamischen Orient fördernd wirken sollte. *19–24*

Das übrige Bildmaterial unseres Buches läßt sich zwanglos in die sogenannte chinesisch-mongolische Stilgruppe *8–10, 27–49, 51–54* einordnen. Die Ikonographie des Westens spielt in dieser Gruppe eine recht geringe Rolle, dafür machen sich Themen ostasiatischer Herkunft – vor allem in den Märchenillustrationen und in den Darstellungen aus dem buddhistischen Glaubenskreis – um so stärker bemerkbar. Dies darf uns jedoch nicht dazu verleiten, den Entstehungsort dieser Blätter nach China zu verlegen. Eine nennenswerte Wirkung im Kunstleben war den mongolischen Eroberern im Ostreich nicht beschieden. Dagegen wurden die Länder des Vorderen Orients, vor allem Persien, zur Mongolenzeit Schauplatz wichtiger kultureller Ereignisse. Die Illustrationen zu Rešîdeddins Weltchronik entstanden in Täbris. Andere Kulturzentren, die für die Entstehung der mongolischen Malerei im Nahen Osten in Betracht kommen, waren Schiras, Herat und Bagdad.

Eine große Anzahl von Blättern, deren Themen aus einem den bürgerlichen Kreisen völlig fremden Milieu *29–47* stammen, verdient in dieser Gruppe besondere Beachtung. Dargestellt sind in diesen Werken Szenen aus dem Leben der Nomaden, ihre Werkzeuge, Waffen und Tiere, furchterregende bizarre Dämonengestalten, Beschwörungsriten, Kult- und Opferszenen, die mit dem Schamanismus in irgendeinem Zusammenhang zu sein scheinen. Diese Darstellungen sind die einzigen Bilddokumente, in denen uns über die Welt der nomadischen Steppenvölker berichtet wird. Die Blätter unterscheiden sich voneinander in ihrer Größe und technischen Ausführung. Daß sie als Werke der Buchmalerei, d. i. als Illustrationen zu einer Handschrift, entstanden sind, ist kaum anzunehmen. Einigen Darstellungen werden vermutlich Schauspiele (Vortragstexte) als Vorlage gedient haben. Bei den übrigen handelt es sich mehr oder weniger um Werke einer naturalistischen Bildtradition, die ihre Themen vermutlich auch direkt aus der Wirklichkeit schöpfte.

41–45

Ein eigenwilliger Linearismus und eine betont graphische Ausdrucksweise kennzeichnen den Stil dieser Bilder, die eine geschlossene Gruppe für sich bilden. Die Art der Ausführung läßt in den meisten Blättern auf die Hand eines Meisters schließen, über dessen Persönlichkeit uns nichts bekannt ist. Einige seiner Blätter sind mit »Üstad Mehmed Siyah Qalem – Meister Mehmed, die Schwarze Feder«, signiert. Bei der Anonymität der Künstlerpersönlichkeiten im Orient findet man selten signierte Werke. Im Falle einer Signierung werden aber die Namen nicht so auffällig und ungeschickt geschrieben wie in unseren Blättern. Es kommt übrigens im Orient manchmal vor, daß ein Künstler in seiner Signatur sich als den »geringsten der Sklaven« bezeichnet, nie aber als »Meister«. Wir haben es also hier auf jeden Fall nicht mit einem wirklichen Namen, sondern mit einer Zuschreibung aus späterer Zeit zu tun. Das Kompositum »Siyah Qalem – Schwarze Feder« bezeichnet eine graphische Technik in der Bildausführung und kommt zum Namen »Mehmed« (eigentlich ein Vorname) als Beiname hinzu. Die kräftige und ausdrucksvolle Art der Zeichnung in diesen Blättern wird wohl den Anlaß zu dieser recht ungewohnten Bezeichnung »Schwarze Feder« gegeben haben. Dabei handelt es sich hier, wenn man von einigen monochromen Zeichnungen absieht, um Bilder, die zumeist von den drei Farben rot, blau und braun beherrscht werden. Die Farbe ist aber in diesen Blättern – stärker als es in der chinesisch-mongolischen Kunstrichtung sonst üblich ist – der Linie unterstellt und dient dazu, deren Wirkung noch zu steigern, so daß die Bezeichnung »Siyah Qalem« durchaus zu verstehen ist. Der Name »Mehmed Siyah Qalem« deutet demnach auf eine bestimmte Ausführungstechnik in den Werken eines unbekannten Meisters und vermutlich einiger seiner Epigonen. Es darf aber nicht vergessen werden, daß in der Siyah Qalem-Gruppe Bilder existieren, die nicht signiert sind, und daß umgekehrt wir anderenorts Bilder antreffen, die den Namen »Mehmed Siyah Qalem« tragen, aber nicht zu dieser Gruppe gehören. Bei der Identifizierung eines Siyah Qalem-Blattes sollte also nicht die spätere Zuschreibung, sondern der Stil des Künstlers maßgebend sein.

Die Kunstforschung vor fünfzig Jahren wollte diese Blätter in Kiptschak-Rußland oder auf der Krim entstanden wissen. Heute ist man eher geneigt, den Entstehungsort nach Transoxanien oder Turkestan zu verlegen[1]. Da uns bis jetzt aus Kiptschak kein Werk einer solchen Malschule bekannt geworden ist, dürfte der erstere Hinweis vorderhand eine unbewiesene Hypothese bleiben. Für die Herkunft aus Turkestan sprechen außer dem dargestellten Menschentyp in diesen Bildern die Trachten und vor allem die glockenförmigen Kopfbedeckungen, worauf in den Publikationen von M. Aurel Stein und Albert Le Coq hingewiesen wird[2]. In den Bildern Siyah Qalems und seines Umkreises haben wir Werke einer Kunstrichtung vor uns, die zu den eigensten Erzeugnissen der mongolischen Malerei gerechnet werden dürfen.

Obwohl die mongolische Malerei unter dem starken Einfluß des Fernen Ostens steht, ist ihr die Poesie, die impressionistische Lyrik der ostasiatischen Malerei fremd. Die Mongolen lieben die kristallklare Sicht und vermeiden die malerischen Effekte der chinesischen Kunst. Die lineare Raffiniertheit, die sie den chinesischen Meistern verdanken, bewirkt in ihrer Kunst eine Art Modellierung, die in den Dienst eines brutalen Realismus gestellt, betont plastische und räumliche Werte zu gestalten versucht. Dies verleiht den Werken der mongolischen Malerei eine bildhauerische Monumentalität, aus der Naturnähe und Erdgebundenheit sprechen. Der Sinn für das Übersinnliche scheint den Mongolen völlig gefehlt zu haben. So werden die wunderlichen Visionen Mohammeds auf seiner Himmelsreise in der mongolischen Malerei als natürliche Geschehnisse wiedergegeben, die den irdischen Gesetzen unterliegen. Außer den Flügeln deutet an dem stämmigen Wuchs der mongolischen Engel in diesen Bildern nichts darauf hin, daß wir vor himmlischen Wesen stehen, und die Dämonengestalten eines Siyah Qalem sind ihrem Wesen und Gebaren nach den Menschen so sehr ähnlich, daß sich das Übernatürliche in der Form tierisch-dämonischer Attribute wie eine Maske auf ihren Körper legt. Es ist schwer verständlich wie diese Kunst, die so sehr auf das Diesseits bezogen war, in den vom Jenseitsglauben tief durchdrungenen Ländern des Islam überhaupt Fuß fassen konnte. Geheuer war dem Islam diese Diesseitsfreudigkeit nicht. Die Mongolen hatten um 1300 den Islam übernommen und zunächst wurde man der Fremdheit dieser Kunst nicht gewahr. Jedoch am Anfang des 15. Jahrhunderts änderte es sich, und wir sehen, wie sich mit den Timuriden allenthalben der Realismus der Mongolen im dekorativen Geschmack der Miniaturmalerei aufzulösen beginnt. Der Mongolenstil beginnt in den islamischen Ländern eine heftige weltanschaulich motivierte Reaktion hervorzurufen, der sicher viele Werke zum Opfer fielen. Wir besitzen heute aus der Mongolenzeit nur einige illustrierte Handschriften. Von der Existenz der anderen erfahren wir durch einige Bilderseiten, die sich in den Sammelsurien der Saray-Alben in unsere Gegenwart herübergerettet haben[3]. Wir wissen nicht, was verlorenging. Das Zerstörungswerk richtete sich zweifellos gegen diejenigen Werke, in denen der pagane Geist der Mongolen seine Triumphe feierte. In den Bildern eines Siyah Qalem hat der Islam sicherlich die Gefahr eines Götzendienstes gewittert. Dies erklärt, warum uns von dieser Art Malerei so wenig erhalten geblieben ist. Die Zeichnungen Siyah Qalems und einiger seiner Epigonen sind das einzige Überbleibsel, das wie durch ein Wunder bis zu uns gelangt ist.

19–24

Ein Versuch, die Geschichte der mongolischen Malerei zu rekonstruieren, kann bei dem ungenügenden Bildmaterial, das uns heute zur Verfügung steht, nur bis zu einem gewissen Grad gelingen. Jedoch das Bild, das wir gewinnen, genügt, um von einer Kunstrichtung sprechen zu können, deren volle Bedeutung wir erst heute zu verstehen beginnen. Die Länder Vorderasiens erwachen zur Mongolenzeit – ähnlich wie zur Zeit Alexander des Großen – unter dem Einfluß einer fremden Kultur zu neuem Leben. Uralte Formen erstarrter Traditionen werden zu dieser Zeit gesprengt, und man öffnet sich allen Einflüssen der Welt, was zu einer ungeahnten Bereicherung des Kunstlebens führte. Über die rege Kunsttätigkeit des 14. Jahrhunderts sind wir dank der Sammlungen einiger Saray-Alben, die in den letzten Jahren der wissenschaftlichen Forschung erschlossen wurden, recht gut unterrichtet[4]. Nach den verschiedenen Šâhnâme-Fragmenten, die in diesen Alben enthalten sind, müssen im Laufe dieses Jahrhunderts über ein Dutzend Malstile entstanden sein, die auf einen bis in die entlegendsten Provinzen verbreiteten Werkstattbetrieb hinweisen. Von den Werken dieser Zeit geht ein neues Fluidum aus, ein Fluidum des Neubeginns, das ohne die spätantike Bildtradition Zentralasiens nicht vorstellbar ist und uns berechtigt, auch im Orient von einem Ende des Mittelalters und einem Anfang der Renaissance zu sprechen. Diese so vielversprechende Entwicklung findet jedoch im 15. Jahrhundert keine Fortsetzung mehr. Zwar empfängt die Miniaturmalerei der Timuriden von ihr noch einige starke Impulse, aber das, was später auf die mongolische Malerei zurückgeführt werden könnte, ist eigentlich nur der schwache Abglanz einer großen Zeit, die schon vergessen war.

Das Bild der Mongolen, das heute im Bewußtsein eines gebildeten Europäers lebt, stammt, so sonderbar es auch ist, noch aus jener Zeit, in der Europa von der Mongolengefahr unmittelbar bedroht war. Auch heute noch sind die Mongolen für viele »eine wilde und kriegerische Horde« der Steppe, die in die alten Kulturländer einfiel, sie zerstörte ohne das, was vernichtet wurde, je wieder ersetzen zu können. Daß dieses Volk das größte Weltreich der Geschichte gründete und es überdies, dank einer ausgezeichneten Organisation, jahrhundertelang halten konnte, müßte uns in unseren Urteilen zur Vorsicht mahnen. Gewiß hatten die Mongolen Staaten und Völker vernichtet, Kulturstätten verwüstet. Aber dieser Zerstörungswut stand ihr Aufbauwille keineswegs nach. Städte wie Bagdad, die während der Reichsgründung fast dem Boden gleichgemacht worden waren, konnten unter der Herrschaft der Nachfolger Činggis (Dschingis) Khans in kurzer Zeit wiederhergestellt werden. Karakorum entwickelte sich zur Mongolenzeit zu einer blühenden Residenz, und die neue Hauptstadt Sultaniye war ein Werk der mongolischen Bautätigkeit im Westen. Zu weiteren Neugründungen, deren Spuren noch heute in Peking nachgewiesen werden können, kam es vor allem in China. Die Mongolen hatten den seit mehr als tausend Jahren verschlossenen Überlandweg vom Fernen Osten nach Europa freigelegt. Die Postverbindungen zur Zeit Gâzans waren so organisiert, daß die Nachrichten von den entferntesten Punkten des Reiches in drei Tagen beim Herrscher eintreffen konnten. Ost und West kamen in der Geschichte noch nie in eine so enge Berührung wie zu jener Zeit, und auf dieser Grundlage erhob sich ein Kulturbau, den wir als mongolische Reichskultur bezeichnen können. Man kann keinen richtigen Zugang zur mongolischen Malerei finden, wenn man all diese Tatsachen übersieht. So haben wir in dem vorliegenden Buch dem Hauptteil, der die Malerei der Mongolen behandelt, ein Kapitel vorausgeschickt, in dem ein Überblick über die mongolische Kultur zu vermitteln versucht wird. In solchen Versuchen kann man sich gegen Vorurteile nur sichern, wenn man an den historischen Quellen festhält. Über die Frühgeschichte der Mongolen fehlt es uns jedoch an zeitgenössischen mongolischen Werken. Die einzige mongolische Überlieferung, die uns aus der Zeit der Reichsgründung erhalten ist, ist die »Geheime Geschichte der Mongolen«, die vor zwanzig Jahren vom Mongolischen ins Deutsche übersetzt wurde[5]. Mit den späteren Geschichtswerken aus den buddhistisch-chinesischen und islamischen Kreisen sind wir besser dran, doch Echtheit und Ursprünglichkeit lassen zu wünschen übrig. Von den europäischen Berichterstattern sind Namen wie Plano Carpini, Wilhelm Rubruk, Johann de Montecorvino und Marco Polo in den westlichen Ländern die bekanntesten. Die Aufzeichnungen Carpinis und Rubruks, auf die wir uns in unseren Ausführungen öfters berufen werden, gehören zweifellos zu den zuverlässigsten Quellen, die uns aus dem christlichen Mittelalter überliefert worden sind. Die beiden Männer verweilten in der Mongolei als Missionare und waren überdies von Papst Innozenz IV. und Ludwig dem Heiligen beauftragt, die dortigen Verhältnisse genau zu erkunden. So enthalten ihre Aufzeichnungen die ersten Nachrichten europäischer Augenzeugen über Ostasien und bilden zugleich wichtige Dokumente und Ergänzungen zu den einheimischen Quellen.

Es ist mir eine angenehme Pflicht, hier allen, die mir bei der Vorbereitung der »Malerei der Mongolen« behilflich waren, meinen Dank auszusprechen. Er gilt an erster Stelle Herrn H. Örs, dem Direktor des Topkapu Saray-Museums und Herrn Dr. W. Gebhardt, dem Direktor der Tübinger Universitätsbibliothek, die mir Zugang zu den kostbaren Werken ihrer Sammlungen verschafften und sie zu reproduzieren erlaubten. An Hilfe meiner nächsten Fachkollegen hat es mir nicht gefehlt. Vor allem sei hier Herrn Professor E. Kühnel, dem vor einem Jahr verstorbenen Nestor der orientalischen Kunstgeschichte, und Herrn Dr. R. Ettinghausen, deren freundschaftlicher Unterstützung und sachkundiger Hilfe ich mich in den letzten Jahren stets erfreuen durfte, gedankt. Herr und Frau Geerken vom Orientalischen Seminar in Tübingen haben liebenswürdigerweise das ganze Manuskript durchgesehen, wofür ich ihnen herzlichst danke. Danken möchte ich auch Herrn Professor Max Hirmer, dem Herausgeber und Verleger der »Malerei der Mongolen«, und seinem Mitarbeiter Herrn Albert Hirmer, die allen meinen Wünschen, vor allem hinsichtlich der Zahl der Farbreproduktionen, großzügig entgegenkamen.

EINLEITENDE BETRACHTUNGEN
ÜBER DIE KULTURGESCHICHTE DER MONGOLEN

EINE AUDIENZ BEIM GROSSKHAN

Am 31. Mai des Jahres 1254 empfing der Großkhan Mungge[6] den Franziskanermönch Wilhelm von Rubruk, der zu dieser Zeit, auf ausdrücklichen Wunsch Ludwig IX. des Heiligen von Frankreich, als Missionar in der Mongolei weilte. Über Einzelheiten dieser Audienz unterrichtet uns Rubruk sehr ausführlich in seinem Buch »Reise zu den Mongolen 1253–1255«, das zweifellos einen der zuverlässigsten Berichte des Mittelalters über die Mongolen bringt[7]. Dem Mungge Khan unterstand damals das neu erstandene Mongolenreich, das zwar den von Činggis Khan[8] erstrebten Umfang noch nicht angenommen hatte, sich aber immerhin vom Fernen Osten über den ganzen asiatischen Kontinent und über den Ural hinweg nach Europa hinein erstreckte, und so das größte Reich der Geschichte war.

Als Rubruk in die Jurte Mungge Khans geführt wird, fand er ihn, in einen prachtvollen Pelz gehüllt, gelassen auf seinem Ruhebett, vor dem der Ordensbruder in Amtstracht, barfuß und barhäuptig die Knie beugen muß. Einige Tage vorher hatte Mungge Khan ein religiöses Streitgespräch veranstalten lassen, an dem zusammen mit Vertretern verschiedener Bekenntnisse auch Rubruk teilgenommen hatte. Das Glaubensbekenntnis der Messe »Credo in unum Deum – ich glaube an einen Gott« war das Thema der Diskussion gewesen. Als Mungge den Franziskaner erblickte, kam er wieder auf dieses Thema zurück. Die Worte die er sprach, wurden von Rubruk in folgenden Sätzen aufgezeichnet:

»›Wir Mongolen glauben, daß nur ein Gott ist, in dem wir leben und in dem wir sterben, und auf ihn ist unser Herz gerichtet . . .‹. Da sagte ich: ›Gott selbst wird es sein, der das gewährt; denn ohne seine Gnade kann solches nicht geschehen . . .‹. Und er fragte, was ich gesagt hätte. Der Dolmetscher sagte es ihm, worauf er fortfuhr: ›. . . aber wie Gott der Hand verschiedene Finger gegeben hat, so hat er auch den Menschen verschiedene Wege gegeben, selig zu werden. Euch hat Gott die Heilige Schrift gegeben, aber ihr Christen haltet sie nicht. Ihr findet nicht gesagt in eurer Schrift, daß einer den anderen schelten dürfe, oder aber findet ihr das in ihr?‹ fragte er. ›Nein, Herr‹, erwiderte ich, ›aber ich habe Euch auch von Anfang an erklärt, daß ich mit niemandem streiten wolle‹. ›Ich rede nicht von euch‹, war seine Antwort. ›Ebenso findet ihr nicht in der Schrift, daß einer um des Geldes Willen abbiegen dürfe von der Gerechtigkeit‹. ›Nein, Herr‹, erwiderte ich, ›und gewißlich bin ich auch nicht in dieses Land gekommen, um mir Geld zu erwerben, habe es vielmehr zurückgewiesen, wo man es mir geben wollte‹. Es war aber ein Sekretär zugegen, der mir bezeugte, wie ich einmal ein Jascot (Acsom) und seidene Stoffe anzunehmen verweigert hatte. ›Ich rede auch nicht davon‹, sagte er. ›Euch also gab Gott die Heilige Schrift, und ihr haltet sie nicht. Uns aber hat er die Wahrsager gegeben, und wir unsererseits tun, was sie uns sagen, und leben in Frieden‹«[9].

Wollen wir verstehen, was diese Worte des Großkhans für Rubruk und die christliche Welt bedeuteten, so müssen wir uns rückblickend an einige wichtige Begebenheiten dieser Zeit erinnern.

DIE SAGE VOM PRIESTER JOHANNES

Lange Zeit besaß man in Europa keinerlei Kenntnis von den Mongolen, die den Zeitgenossen gewissermaßen dem Tartaros (Unterwelt) entsprungen schienen und daher Tartaren (richtig: Tataren) genannt wurden. Die Nachrichten, die durch die mongolischen Gesandtschaften und Flüchtlinge aus der Mongolei kamen, waren recht verschwommen und höchst ungeeignet, ein Bild von diesem fremden Volk im Osten zu vermitteln. Die christliche Welt stand zu dieser Zeit in ihren Kreuzzügen in hartem Kampf gegen die Mohammedaner, und das Augenmerk des Abendlandes war eher auf den Kalifen als auf den Großkhan gerichtet.

Zu dieser Zeit tauchte die seltsame Sage von einem mächtigen König im Fernen Osten auf, den man Priester Johannes nannte und dem man auch den biblischen Namen David gab. Dieser Priester Johannes oder König David, der Christ sein sollte, schien vielen zum Vollstrecker des Schicksals der islamischen Religion und zum Wiedereroberer des Morgenlandes für die Religion des Heilandes berufen. Činggis Khan war 1219 in das Reich der islamischen Hârizmšahs (Mohammed II.) eingedrungen und hatte es zerstört. Die morgenländischen Christen, die von den Mohammedanern stark unterdrückt worden waren, atmeten wieder auf, und als sie hörten, daß sich die Mongolen dem heiligen Lande näherten, sahen die Christen in ihnen Bundesgenossen gegen den gemeinsamen Feind, die Mohammedaner. Die Sage vom Priester Johannes nahm durch diese Ereignisse und ihre Auslegung in Europa deutlichere Formen an, und König David, der Erlöser des Christentums, der eigentlich nur als ein Phantasieprodukt in den Köpfen spukte, erhielt plötzlich eine konkrete Gestalt in der Person von Činggis Khan. So sehen wir, wie in dem Brief des Bischofs von Acco, Jacob von Vitry, vom 18. April 1221, der den ältesten christlichen Bericht über Činggis Khan und über die Mongolen enthält, fast ausschließlich von König David und seinen Soldaten die Rede ist[10]. Obwohl in der Darstellung der historischen Ereignisse manches unklar und falsch ist, erkennt man deutlich daraus, daß mit König David kein anderer als Činggis Khan gemeint ist, den die christliche Überlieferung zu einem Christen gemacht und mit der Sage vom Priester Johannes in Verbindung gesetzt hatte.

Aus diesen Illusionen erwachte das Abendland erst im Laufe der nächsten zwei Jahrzehnte. Der Feldzug Činggis Khans gegen Rußland und die Wolgabulgaren in den Jahren 1222–1223 brachte die erste Enttäuschung, und es regten sich Zweifel, ob die Mongolen auch wirklich Christen seien. Wurden sie bis dahin für Bundesgenossen der Christen gehalten, so versuchte man sie nun mit den Juden in Verbindung zu bringen. Gerüchte behaupteten, daß die Mongolen Nachkommen der in die Gefangenschaft verschleppten zehn Stämme Israels seien und ihnen die Juden von Deutschland heimlich Waffen und Lebensmittel lieferten. Auch die Marbacher Annalen oder das Chronicon des Albert Argentinensis berichten im Anschluß an die Erzählung vom Mongoleneinfall etwas Ähnliches: »Im Jahre 1222 brach aus dem Lande der Perser ein sehr großes und starkes Heer aus seinen Grenzen hervor und zog durch die angrenzenden Provinzen hindurch ... Aus welchem Grunde sie ausgezogen sind oder was sie getan haben, wissen wir nicht; in kurzer Zeit sind sie wieder in ihr Heimatland zurückgekehrt. Sie sagten aber, sie wollten nach Köln gehen und die Leichname der drei Weisen aus dem Morgenland, die von ihrem Volk seien, holen. Nur das eine wissen wir, daß sich die Juden über dies Gerücht inbrünstig freuten, in die Hände klatschten und sich beglückwünschten, in der Hoffnung, daß ihnen dadurch irgendwelche ungeahnte Befreiung zuteil werde. Darum nannten sie auch den König jener Scharen den Sohn Davids«[11].

DIE CHRISTLICHE ORIENTPOLITIK UND DIE BETTELORDEN

Der von Osten her drohenden Gefahr wurde man erst voll bewußt, als die Mongolen 1241 bis an die Pforten Mitteleuropas vorstießen. In dem Brief des deutschen Kaisers Friedrich II. vom 3. Juli jenes Jahres an den König von England werden die Mongolen als bestialisch und religionslos bezeichnet: »sie haben nur einen Herrn, dem sie gehorchen und den sie anbeten. Sie nennen ihn den Gott der Erde. Sie sind aus ihrem Lande hervorgebrochen, um das ganze Abendland zu vernichten und die christliche Religion auszurotten«[12]. Der Papst Innozenz IV. berief 1245 eine Kirchenversammlung nach Lyon ein, die angesichts der unmittelbar drohenden Mongolengefahr über die zu ergreifenden Maßnahmen beraten sollte. Eine offene Auseinandersetzung mit dem unschlagbaren Heere der Mongolen wollte man auf jeden Fall vermeiden; denn ein solcher Krieg wäre zu jener Zeit für das Abendland völlig aussichtslos gewesen. So entschloß man sich für etwas anderes: wenn jetzt auch endgültig feststand, daß die Mongolen keine Christen waren, so bestand doch die Möglichkeit, sie für den Glauben an den Auferstandenen zu gewinnen. Diese Möglichkeit würde die Mongolengefahr beseitigen, und darüber hinaus – indem man die zum Christentum bekehrten Mongolen im Kampfe gegen die Mohammedaner einsetzen würde – auch zur Verwirklichung des letzten Ziels der Kreuzzüge dienen. Es waren nicht nur Wunschbilder, sondern auch nüchterne und kluge Berechnungen, die zu diesen Entschlüssen führten. Unter den damaligen Umständen blieb Europa kein anderer Weg übrig.

Die zu dieser Zeit neu entstandenen Bettelorden im Abendlande, die das Evangelium allen Menschen zu predigen als ihre vornehmste Aufgabe betrachteten, boten Papst Innozenz IV. und Ludwig dem Heiligen zur Verwirklichung ihrer Politik ausgezeichnete Helfer, zu denen auch Rubruk gehörte. Über das Leben dieses Mannes ist uns recht wenig bekannt. Wir wissen nur, daß er ein Ordensbruder und Freund von Roger Bacon aus England war, und nach seinen Reisebeschreibungen zu schließen, muß er, hochgebildet, über eine scharfe Beobachtungsgabe verfügt haben. Bevor er seine Reise in die Mongolei unternahm, ist er sicher über die dortigen Verhältnisse – soweit das möglich war – gut unterrichtet gewesen. Einige Jahre vorher war sein Ordensbruder Johann De Plano Carpini als Gesandter des Papstes bei den Mongolen gewesen. Auch er hatte einen Bericht geschrieben, der in deutscher Übersetzung von F. Risch den Titel »Geschichte der Mongolen und Reisebericht 1245–1247« trägt[13]. Das Buch war zu Rubruks Zeit noch nicht gedruckt. Aber wir wissen, daß Carpini ein redseliger und aufgeschlossener Mann war und denjenigen, die zu ihm kamen, gerne aus seinen Reisenotizen vorlas. Die Aufzeichnungen von Carpini waren demnach Rubruk sicher bekannt. Aus ihnen ging eindeutig hervor, daß Guyuk Khan, Mungges Vorgänger, obwohl kein Christ, den Christen sehr freundlich gesinnt gewesen war. Er soll mit den christlichen Kreisen stets Umgang gepflegt haben. In der Tat waren auch seine beiden Wesire Christen; er hatte christliche Berater und ließ auch solche ausbilden.

EIN BRIEF DES BEFEHLSHABERS ELCIGEDAI

Inzwischen ereignete sich etwas, das der Aufmerksamkeit Rubruks bestimmt auch nicht entgangen ist. Als im Jahre 1248 Ludwig der Heilige von Frankreich in Cypern war, kamen mongolische Gesandte und überbrachten ihm einen Brief von Elcigedai[14]. Dieser war kein Geringerer als der mongolische Heerführer, den Guyuk mit dem Oberbefehl über die Truppen in Persien und den benachbarten Ländern betraut hatte. In diesem Brief wird Ludwig IX. als »siegreiches Schwert der Christenheit« bezeichnet, und es wird ausdrücklich betont, daß es dem Mongolen auf nichts so sehr ankomme, »als den Christen zu nützen und die Hände der christlichen Könige zu stärken, damit Gott den Heeren der Könige der Christenheit den Sieg verleihe und sie triumphieren lasse über ihre Widersacher, die Verächter des Kreuzes!« »Wir wollen«, schreibt Elcigedai, »daß alle Christen frei sein sollen von Knechtschaft, Abgaben, Frondienst, Wegsteuern und dergleichen, daß sie Ehre und Achtung genießen, daß niemand ihren Besitz antaste, und daß die zerstörten Kirchen wieder aufgebaut und die Gebetsbretter wieder geschlagen werden, und niemand sich vermesse, sie zu hindern, mit ruhigem und willigem Herzen für unser Reich zu beten.« Der Schlußabschnitt des Briefes bringt noch einen Auftrag des »Königs der Erde«, der sich auf die innere Spaltung des Christentums bezieht. Abgesehen von den großen Gegensätzen zwischen Rom und Byzanz, der lateinischen und griechischen Kirche, bestanden im Nahen Osten auch Meinungsverschiedenheiten und Zwiespältigkeiten zwischen den armenischen Christen, den Nestorianern und Jakobiten, die keine glaubensmäßige Einheit mehr bildeten. »Da sie aber alle das Kreuz anbeten«, schreibt Elcigedai, »sind sie alle eins bei uns. So denn bitten wir, daß der erlauchte König keinen Unterschied unter ihnen mache, sondern daß sich seine väterliche Liebe und Milde erstrecke über alle Christen und seine väterliche Liebe und Milde nimmer aufhöre.«

Nachdem der König den Brief empfangen hatte, wollte er noch Näheres über den Khan, den Elcigedai und die Mongolen erfahren. Die Gesandten erzählten ihm, daß Guyuk Khan eine christliche Mutter gehabt habe, eine Tochter des Priesters Johannes (Ong-Khan), und daß er sich ungefähr drei Jahre zuvor zusammen mit achtzehn Prinzen seines Hauses habe taufen lassen. Auch Elcigedai, der sie geschickt habe, sei schon seit mehreren Jahren Christ und der Großkhan habe ihn mit einem sehr mächtigen Heer abgesandt, damit er die christliche Religion schütze, die Befreiung der Christen fördere und gegen alle ihre Feinde kämpfe. Er wünsche von ganzem Herzen Freundschaft mit dem König von Frankreich, von dem er gehört habe, er werde nach Cypern kommen. Schließlich meldeten die Gesandten noch, daß Elcigedai im nächsten Jahr die Stadt Bagdad, wo der Sitz des Kalifats sei, belagern werde. – Rubruk unternahm seine Reise in die Mongolei, wenn auch nicht als Gesandter, so doch im Auftrage von König Ludwig IX. So dürfen wir mit Bestimmtheit annehmen, daß ihm, als einem dem König Nahestehenden, all diese Begebenheiten ebenfalls bekannt waren.

IM LAGER MUNGGE KHANS

Anfang Mai 1253 verließ Rubruk Europa. Die Reise war mit keinen besonderen Schwierigkeiten verbunden. Jedoch mußte er zunächst Sartach und dann dessen Vater Batu besuchen, und so kam er nach längeren Umwegen ziemlich erschöpft zum Lager des Großkhans, der das eigentliche Ziel seiner Reise war[15]. Der Empfang und all das, was er dort vorfand, übertraf seine Erwartungen, und der wackere Mönch wird dadurch all die Strapazen der Reise gleich vergessen und seine Bemühungen reichlich belohnt empfunden haben. Der den Christen freundlich gesinnte Guyuk Khan war inzwischen gestorben, und an seine Stelle war Mungge Khan getreten. Seine Einstellung zu den Christen war aber dieselbe wie die seines Vorgängers. Mit großer Begeisterung erzählt Rubruk, wie acht Tage nach dem Epiphaniasfest (13. Januar 1254) Mungge die nestorianische Kirche besuchte, seine Gemahlin Qotoqtai Kadyn (Kutuktai Hâtun) mit ihrem Sohn Balta am Gottesdienst teilnahm und die nestorianischen Priester den Großkhan beweihräucherten. Ein andermal erlaubte Mungge einem Mönch, der seine Gemahlin geheilt hatte, zum großen Ärger der Mohammedaner, das Kreuz durch das Lager zu tragen; und einem armenischen Priester, der ihn um die Wiederherstellung einer von den Mohammedanern zsertörten Kirche bat, schenkte er fürstlich eine hohe Summe Geld. Die biblischen Bücher, die Rubruk an seine Brust gedrückt mit sich führte, betrachtete er mit großem Interesse, und als Rubruk den ältesten Sohn des Khans in seiner Jurte besuchte, warf dieser sich, mit der Stirn die Erde berührend, zu Boden und betete das Kreuz an. Durch solche und ähnliche Begebenheiten, über die Rubruk in seinem Buch ausführlich berichtet, wird er wohl seine Erkundungen in der Heimat bestätigt gefunden haben, und wir können uns vorstellen, daß er sich, als ihn Mungge Khan nach dem eingangs erwähnten Streitgespräch zu sich rufen ließ, dem Ziele seiner Missionsarbeit sehr nahe gefühlt hat und glaubte, daß der Augenblick gekommen sei, der ihm die Wünsche des Papstes, seines Königs und aller Christen erfüllen würde. Nun aber hört er in dieser Audienz aus dem Munde des Großkhans, daß er kein Christ, sondern ein Anhänger des Schamanismus sei. Überdies muß er noch bittere Vorwürfe, die auf Geldgier und Streitsucht der Christen anspielten, über sich ergehen lassen. Die Enttäuschung des Mönches war so groß, daß er – wie er sagt – in seiner Bestürzung über die eindeutige Antwort, die er erhielt, nicht Zeit fand, ihm den »katholischen Glauben« nahezubringen. Resigniert schreibt er in seinem Bericht: »danach ging ich von seinem Angesichte, um nachher nicht mehr zu ihm zu kommen«, und wie mit einem Stoßseufzer fügt er noch hinzu: »hätte ich Macht gehabt, Wunder und Zeichen zu tun wie Moses, vielleicht, daß er sich gedemütigt hätte«[16].

GOTT DER SCHAMANEN

Aus den Worten Mungge Khans erfahren wir Grundlegendes über die Schamanen überhaupt. Erstens hören wir, daß sie an einen einzigen ewigen Gott glauben. Dieser oberste Grundsatz der schamanistischen Religion wird von allen mittelalterlichen Quellen bestätigt. Auch in Carpinis Reisebericht finden wir Sätze, die dem Wortlaut wie der Bedeutung nach ähnlich wie die Rubruks klingen: »sie glauben an einen Gott, den Schöpfer der ganzen sichtbaren und unsichtbaren Welt; auch glauben sie, daß alles Gute und alle Strafgerichte in dieser Welt von ihm herrühren; doch verehren sie ihn weder mit Gebeten noch mit Lobgesängen, noch mit irgendwelchen anderen religiösen Zeremonien«[17].

Wir wissen nicht, wie sich die Mongolen ihren Gott vorstellten. Vermutlich wurde er wie in allen Naturreligionen als eine Art Kraft empfunden, die in den Menschen und Geschöpfen wirkt. Darauf weisen auch die Worte von Guyuk Khan hin, der in einem Brief an den Papst auf den Vorwurf, daß die Mongolen das Reich der Macaren (Ungaren) und der Christen überfallen hätten, folgendermaßen antwortet: »In jenen Reichen hat der ewige Gott getötet und zunichte gemacht. Wie könnte jemand, es sei denn auf Gottes Befehl, aus eigener Kraft töten?[18]« Was hätten also die Menschen tun können, wenn in ihnen Gottes Kraft nicht wirkte? Auf ihren Siegeln und Urkunden gebrauchten die Mongolen die Formel »Tengri küčündür – durch die Kraft Gottes«, die sie nach ihrem Übertritt zum Islam auch auf ihre Münzen prägten.

GOTT IM HIMMEL, KHAN AUF ERDEN

Das unerschütterliche Vertrauen der Mongolen zu ihrem Khan beruhte auf dem Glauben an einen einzigen Gott, der nach ihrer Meinung den Herrscher beauftragt hatte, seinen Willen in die Tat umzusetzen. So beginnt der Brief Mungges an König Ludwig den Heiligen mit folgenden Worten: »Es ist der Befehl des ewigen Gottes. Im Himmel ist nur ein ewiger Gott, und auch auf Erden soll nur ein Herr sein, Čingqis Khan«[19]. Unteilbar war die Herrschaftsmacht des Khans über die Erde, unanfechtbar sein Wort. Rubruk erzählt, wie im Lager des Großkhans durch Heroldruf bekanntgemacht wurde: »Dies ist das Gebot Mungge Khans, und niemand soll wagen, zu sagen, Gottes Gebot sei ein anderes«[20]. Das Gebot der Khane und Gottesgebot waren also für die Mongolen ein und dasselbe.

Aus den Worten Mungge Khans erfahren wir ferner, daß die Anhänger der schamanistischen Religion keine Heilige Schrift besitzen. Der ideell aufgefaßte Gott der monotheistischen Religionen offenbart sich in einer solchen Schrift. Der Gott der Mongolen dagegen ist eine existenziell empfundene Macht, eine Wirklichkeit, die keiner Heiligen Schrift bedarf. Die Mongolen sind nicht, wie es im Koran heißt, ein Volk des Buches. Sie haben keine Schrift, die ihnen gewisse religiöse und sittliche Verpflichtungen auferlegt. »In ihrer Religion« sagt Ricold, »unterscheiden sie sich von anderen Völkern darin, daß sie nicht lügenhafterweise behaupten, wie viele andere Völker, sie hätten ihre Religion von Gott empfangen«[21]. Für Christen und Mohammedaner, also für Religionsangehörige mit einem in festen Glaubenslehren ausgeprägten System, war jedoch diese Tatsache nicht verständlich und führte öfters zu Mißverständnissen. Aussagen mancher Berichterstatter, daß die Mongolen religionslos seien oder daß sie eine Religion bei den Mongolen nicht feststellen könnten, beruhen zweifellos auf solchen Mißverständnissen.

DIE RELIGIÖSE TOLERANZ

Das fast gänzliche Fehlen einer Dogmatik führte bei den Mongolen zu einer ausgesprochenen Duldsamkeit anderen Religionen gegenüber. »Da sie im Bezug auf die Gottesverehrung kein bestimmtes Gesetz (keine bindenden Religionsvorschriften) besitzen«, sagt Carpini, »so haben sie bis jetzt, soweit wir wissen, niemanden gezwungen, seinen Glauben oder seine Religion zu verleugnen«[22]. Die Grundlage dieser Haltung bildete die Anordnung Čінggis Khans, der allen Religionen Duldung versprach und den Geistlichen der verschiedenen Bekenntnisse eines der wichtigsten Vorrechte der mongolischen Adligen verlieh: die Steuerfreiheit.

Jedem stand frei, sich für das Bekenntnis zu entscheiden, das er für richtig hielt. Während die Herrscher bis zur Zeit der Ilkhane Schamanen und Buddhisten waren, gehörten die Frauen der kaiserlichen Familie zumeist dem Christentum an. So zum Beispiel war die Mutter Mungge Khans eine Christin wie auch Doqus Hâtun, die Gemahlin Hulagus. Abaqas Gemahlin Maria war die natürliche Tochter Michaels VII. von Byzanz und ebenfalls eine Angehörige der christlichen Kirche. Seine zweite Frau Qodai Hâtun gehörte der nestorianischen Kirche an und war mongolischer Abstammung. In der religiösen Erziehung der Kinder spielte die Mutter eine große Rolle, und zwei spätere Ilkhane, Olcaitu und vermutlich Ahmed, waren in ihrer Jugend getaufte Christen gewesen.

Die Bevölkerung bekannte sich zu verschiedenen Religionen. Schon vor dem Auftreten Činggis Khans waren die Angehörigen eines so einflußreichen Stammes wie dem der Kerait Christen. Nach der Reichsgründung konnte von einer Religionseinheit überhaupt nicht mehr die Rede sein. Die Angehörigen verschiedener Religionen, Buddhisten, Lamaisten, Laozisten, Nestorianer und Mohammedaner erfreuten sich uneingeschränkter religiöser Freiheit, und in der Residenzstadt Karakorum befanden sich neben zahlreichen buddhistischen Tempeln auch Moscheen und Kirchen.

Den verschiedenen Bekenntnissen gegenüber verhielt sich der Herrscher sehr loyal, und nach der Anordnung Činggis Khans behandelte man alle gleich. Rubruk erzählt, wie Mungge Khan, der ja selbst Schamane war, an seinem Glauben festhielt. Dieser Umstand hinderte ihn jedoch nicht, über die Angehörigen anderer Religionen seine schützende Hand zu halten. Er erinnerte wiederholt an Činggis Khans Duldungsvorschrift und bestätigte das Privilegium der Steuerfreiheit für die Geistlichen. Davon waren nur die jüdischen Rabbiner ausgenommen, die Činggis Khan nicht erwähnt hatte. Die Einstellung Mungge Khans zum Islam war nicht weniger freundlich als die zum Christentum, worüber bereits berichtet wurde. Mungge besuchte Moscheen, gab Geld und Liegenschaften für den Bau einer Medrese in Buchara und errichtete sogar eine oberste Stelle für die Angelegenheiten der Muslime unter der Leitung von 'Imâdeddewle. Es zeugt für seine unparteiische oder überparteiische Haltung, daß er gelegentlich von Christen wie auch von Mohammedanern für einen Glaubensgenossen gehalten wurde.

Es gibt wenige Fälle in der mongolischen Geschichte, bei denen wir von der Begünstigung einer Religionsgemeinschaft auf Kosten einer anderen sprechen können. Guyuk Khan bekundete eine starke Hinneigung zur Religion des Heilands, so daß man verschiedentlich annahm, er habe sich persönlich zu diesem Glauben bekannt. Die Mohammedaner haben es unter seiner Herrschaft nicht leicht gehabt. Daß aber die Christen die Vernichtung der Muslime geplant haben könnten, ist nicht anzunehmen und wird auch von Mirhond nur mit Vorbehalten berichtet[23].

Die islamfeindliche Haltung der Ilkhane war mehr oder weniger politisch bedingt. Während des Feldzuges Hulagus waren es die Kalifen und die Mamelukenherrscher, die sich den Mongolen entgegenstellten. Die Mongolen sahen damals in den Mohammedanern ihre Feinde und in den Christen ihre Bundesgenossen. So wurde diesen nach dem Falle des Kalifats große Privilegien eingeräumt. Hulagu galt als ihr Beschützer. Er besuchte christliche Gottesdienste, seine Gemahlin stiftete Kirchen, das in den islamischen Ländern untersagte Glockenläuten wurde erlaubt, und man gestattete den Christen, sich vor dem Herrscher nur zu verbeugen, statt sich niederzuwerfen. Dagegen bekamen die Mohammedaner den Druck der Sieger zu spüren. Moscheen wurden geschlossen, Eigentum beschlagnahmt; mit hocherhobenem Kreuze zogen die Christen in die Stadt ein und besprengten die Mohammedaner mit Wein[24]. Dies alles veranlaßte eine Reaktion von seiten der Mohammedaner und es kam zu blutigen Zwischenfällen. Wurden die Heere Hulagus von den Christen mit Jubel begrüßt, so empfingen die Mohammedaner mit Freude im Jahre 1277 in Kaisaria den mamelukischen Sultan, worauf Abaqa die mohammedanischen Einwohner der Stadt erbarmungslos töten ließ[25]. Solche Fälle waren aber politisch bedingt, und einige Jahre später – zur Zeit Arguns, der ein Buddhist war – bezahlte es der Wesir Sa'deddewle mit seinem Leben, daß er sich weigerte, Mohammedaner in die obere Staatsverwaltung aufzunehmen.

Gâzan war dem Islam freundlich gesinnt und wurde 1295 Muslim. Zahlreiche buddhistische Tempel wurden geplündert und die gute Beziehung zu den Christen verkehrte sich in ihr Gegenteil. Als allerdings Unruhen und Ausschreitungen immer weiter um sich griffen, fühlte sich Gâzan genötigt, dem Treiben Einhalt zu gebieten. Kirchenraub wurde bestraft, und es kam zur Aufhebung der christlichen Kopfsteuer; Olcaitu, der die Politik seines Bruders fortsetzte, lehnte den Plan, eine christliche Kirche in Täbriz in eine Moschee umzuwandeln, ab.

Durch den Übertritt Gâzans zum Islam verschoben sich die Religionsverhältnisse im Mongolenreich entscheidend, und es ist nicht zu verleugnen, daß in der Folgezeit der Islam im Kampfe der Religionen den Sieg davontrug. Wenn es nicht zu jener Zeit in Persien zwischen den Angehörigen der Sunna und der Schia, den wichtigsten Sekten im Islam, zu heftigen Auseinandersetzungen gekommen wäre, so wäre zweifellos der Islam Staatsreligion geworden. Die Schiiten, die sich zu Ali und seinen in Kerbela ermordeten beiden Söhnen Hasan und Husein bekannten und die Rechte der Nachkommen Mohammeds bestritten, wurden schon zur Zeit der Kalifen bekämpft und errangen dadurch zur Mongolenzeit eine bevorzugte Stellung gegenüber den Sunniten. Unter dem Einfluß des bedeutenden schiitischen Gelehrten Nâsireddin Tûsî wurde ihre Position stärker, und nach dem Sturze des Ilkhanenreiches gewannen die Schiiten in Persien die Oberhand.

Die Duldsamkeit in religiösen Dingen, die im Geiste des Schamanismus begründet ist, zeugt auch von großer politischer Klugheit der Mongolen. Diese Duldsamkeit hat dem unterworfenen Volke »den Druck der Fremdherrschaft gemildert und der Regierung ihr Amt erleichtert, indem sie eine Moralordnung beließ, die durch keine Polizei und Organisation ersetzt werden konnte«[26]. Ohne diese Toleranz wäre es den Mongolen wohl nicht möglich gewesen, ihre Herrschaft in den alten Kulturländern jahrhundertelang aufrechtzuerhalten. Alexanders Reich zerfiel nach seinem Tode.

GÖTZENDIENST

Obwohl die Mongolen an einen einzigen Gott glaubten, unterscheidet sich der Schamanismus doch von den uns bekannten monotheistischen Religionen. Sterndienst war bei ihnen sehr verbreitet. Sie verehrten die Sonne, den Mond und die Sterne. Die Huldigung an die Sonne geschah durch dreimaliges Kniebeugen in südlicher Richtung. Beim Sonnenaufgang und -untergang fand diese einfache Zeremonie statt; auch bei wichtigen Ereignissen wurde der Sonne große Ehre erwiesen. So wird berichtet, daß nach der Kaiserwahl Ogodais, Guyuk und alle, die an ihr teilnahmen, aus ihrer Jurte gingen, um die Sonne mit dreimaligem Beugen der Knie anzubeten. Die Mongolen verehrten auch Feuer und Wasser, Luft und Erde. Heilig waren ihnen die Wälder und Höhlen, Quellen und Berge. Als Čingis Khan vom Stamme der »Merkit« überfallen wurde und mit Not der Gefangenschaft entging, dankte und opferte er dem Berg »Burhan chaldun« wie einer Gottheit[27].

Götter der Fruchtbarkeit schützten ihre Herden, und der Hausgott »Ongon« sorgte für das Wohl der Familie. Die Mongolen glaubten an eine enge Verbindung zwischen den lebenden Menschen und ihren längst verstorbenen Ahnen. Dieser Glaube bewirkte eine dauernde Verehrung der Vorfahren. Carpini erzählt, wie die Mongolen den Toten Pferde weihten, die niemand zu reiten wagte[28]. Čingis Khan, den Gründer ihres Stammes, verehrten sie wie einen Gott. Der Großfürst Michael von Rußland wurde im Lager von Batu Khan gezwungen, sich vor dessen Bilde in Richtung Süden zu verbeugen; die Weigerung kostete ihm das Leben[29].

Man könnte hier fragen, wie bei den Anhängern des Schamanismus der Glaube an den höchsten Gott sich mit Sterndienst, Anbetung der Naturgewalten und Ahnenkult vereinbaren läßt. Handelte es sich hier neben dem Hauptgott um Nebengötter oder waren diese »Gottheiten« nur verschiedene Erscheinungsformen des einen und höchsten Gottes, den man in der Gestalt der Sonne, des Mondes und in den Naturgewalten verehrte? Wenn der Gott bei den Mongolen, wie bereits angedeutet, als »wirkende Kraft« empfunden worden ist, so liegt die zweite Möglichkeit näher. Bestätigt wird diese Annahme auch von Max Müller, der folgendes in diesem Zusammenhang schreibt: »Bei den Samojeden war der Name des höchsten Gottes Jumala, d. i. Himmel. Zuweilen stellte man sich diesen höchsten Gott als die Sonne vor, bei anderer Gelegenheit wurde derselbe Gott als Gott des Meeres aufgefaßt oder als Herr der Luft angerufen. Unter all diesen Gottheiten sei ein und dieselbe Gottheit des Himmels gemeint: Jumala«[30].

Versinnbildlicht wurden all diese Götter bei den Mongolen durch Götzen, denen man Menschengestalt gab. Sie wurden aus Filz oder aus Erde gemacht und an verschiedenen Orten aufgestellt. So stand beispielsweise am Eingang der Jurten zu beiden Seiten eine Figur; diese behüteten nach Meinung der Mongolen die Herden und gewährten Reichtum an Milch und Jungvieh. Über dem Ruhelager des Herrn befand sich immer ein Idol aus Filz, das sie den Bruder des Herrn nannten; ein ähnliches, das als Bruder der Herrin bezeichnet wurde, hing zu Häupten der Hausfrau. Etwas darüber, zwischen diesen Schutzidolen, war noch eine winzige Statue, die die Hüterin der ganzen Jurte sein sollte. Wenn ein Kind krank wurde, hängte man ein Götzenbild über sein Bett. Auch in der Mitte des Heerlagers gab es welche, die nach ihrer Meinung die Krieger vor Gefahr schützten[31].

All diesen Götzen brachten die Mongolen Trank- und Speiseopfer dar. Marco Polo schildert uns in seinen Reiseberichten die Zeremonien, die dabei abgehalten wurden[32]. Vor dem Essen schmierte man den Mund der Götzen mit einem »fetten Stück Fleisch« ein, und etwas von der Brühe, in welcher das Mahl bereitet wurde, schüttete man zur Tür hinaus als Opfer für die anderen Geister. Ebenso brachte man, wenn ein Tier geschlachtet wurde, dem Götzen das Herz des Tieres in einer Schüssel dar. Wie uns Rubruk beschreibt, ist die Zeremonie beim Trankopfer etwas ausführlicher[33]. Unter dreimaligem Kniebeugen nach den vier Himmelsrichtungen – nach Süden zu Ehren des Feuers, nach Osten zu Ehren der Luft, nach Westen zu Ehren des Wassers, und nach Norden zu Ehren der toten Ahnen – wurde Wasser aus dem Becher gesprengt. Auch beim Weintrinken sollten die Mongolen den ersten Becher in die Luft schütten und sagen: »das ist der Anteil, welcher der Sonne gebührt«.

DAS WEISSE FEST

Am 9. Mai hielten die Mongolen ein großes Fest ab, das sogenannte Frühlingsfest. Alle weißen Stuten der Herde wurden an diesem Tag zusammengetrieben und geweiht. Dieses Neujahrsfest oder »Weißes Fest«, wie man es auch nannte, wurde unter Mungge Khan 1258/59 in China gefeiert. Die Feier dieses Festes am Hofe Kubilai Khans schildert Marco Polo sehr ausführlich[34]. Nach seinem Bericht befanden sich in dem Marstall ungefähr zehntausend Hengste und Stuten, die weiß wie Schnee waren. Von der Milch dieser Stuten durfte außer der königlichen Familie und dem von Činggis Khan begünstigten Stamme der Oyirat niemand trinken. »So groß war die Achtung, die diesen Pferden erwiesen wurde, daß niemand es wagte, sich vor sie hinzustellen oder sie in ihren Bewegungen zu hindern, wenn sie auf den königlichen Wiesen weideten. Es war eine von den Schamanen bestimmte religiöse Pflicht, jedes Jahr am 28. August die Milch dieser Stuten »in den Wind zu sprengen, als ein Opfer allen Geistern und Götzen, die sie anbeten, um sie gnädig zu stimmen, und dem Volke, Mann und Weib, Vieh, Geflügel, dem Korn und anderen Früchten der Erde ihren Schutz zu sichern«. Seine Majestät begab sich an diesem bedeutungsvollen Tage an den Ort, wo er mit eigener Hand das Milchopfer darbrachte. Ähnlich berichtet auch der persische Geschichtsschreiber Wassaf[35]. Bei der Thronbesteigung des mongolisch-chinesischen Kaisers Kaischan (chin. Wu-tsong) im Jahre 1307 sollen Trankopfer von mehr als siebenhundert geweihten Stuten und siebentausend Schafen gespendet worden sein, so daß der Platz vor dem Orda einer Milchstraße glich. Auch jene Tiere waren blendend weiß und wurden bei den Herden nicht angetastet: man aß ihr Fleisch nicht und die geweihten Pferde durfte niemand außer dem König besteigen.

DIE SCHAMANEN

Das Nomadenleben bedingte, daß die Mongolen ihre Götzen auf schönen und überdeckten Wagen mit sich führten. Diese heiligen Wagen nahmen vor allem die wie Götter verehrten Ahnenbilder auf, die sich niemand anzurühren wagte. Wer etwas aus ihnen stahl, wurde mit dem Tode bestraft[36]. Sie standen unter der strengen Aufsicht der Priester, die man Schamanen (türkisch Kam) oder Wahrsager nannte.

Von diesen Wahrsagern sprach auch Mungge Khan in seiner Audienz. »Den Christen gab Gott die Heilige Schrift«, sagte er, »uns aber hat er die Wahrsager gegeben«. Die Jurte des Oberpriesters (Beki) wurde in der Nähe der Hofjurte aufgestellt und zwar unmittelbar vor dem Zelte der ersten Gemahlin des Großkhans[37]. Die Schamanen spielten die Rolle der geistlichen Berater. Die Voraussage der Zukunft scheint eine ihrer vornehmsten Aufgaben gewesen zu sein. Sie sagten den Leuten Sonnen- und Mondfinsternis voraus. Wenn die Finsternis eintrat, so ließen sie Trommeln und andere Musikinstrumente ertönen und machten einen mächtigen Lärm, um die bösen Geister zu bannen. Nach der Verfinsterung feierte man ein großes Freudenfest. Sie sagten voraus, welche Tage günstig und welche ungünstig für die Durchführung der Geschäfte, Kriegsunternehmungen und dergleichen seien. Es war ihre Aufgabe, den Ort zu bestimmen, wo die Horde sich niederlassen sollte, und wenn ein Knabe auf die Welt kam, so rief die Familie Schamanen, damit sie seine Zukunft weissagten. Das Weissagen aus den Sternen war sehr verbreitet. Aber die Voraussage der Zukunft geschah auch auf Grund von Orakeln, die sehr verschiedene Formen annehmen konnten. Beim Schafsknochenorakel wurden die Schlüsselbeine dreier Schafe ins Feuer geworfen, wobei Sprünge in Längsrichtung ein günstiges, in Querrichtung ein ungünstiges Ende des begonnenen Unternehmens bedeuteten. Außerdem gab es ein Eier-, ein Fleisch- und ein Pferdeorakel, letzteres auf Grund des Wieherns.

Es gab auch Schamanen, die von Dämonen Antwort erhielten. Diese Schamanen glaubten, daß sie von Dämonen besessen seien und behaupteten, daß die Dämonen ihnen alles was geschieht mitteilten. Wegen ihrer außerordentlichen Kräfte wurden sie gefürchtet und verehrt. Sie unterhielten sich durch die Öffnung oben in der Dachjurte mit den Dämonen. Beim Befragen der Dämonen tanzten einige Schamanen so wild, daß sie schließlich wie tot zusammenbrachen. Andere gerieten in so heftige Ekstase, daß man sie, wie uns Radloff berichtet, festhalten und festbinden mußte, was nur mit äußerster Kraftanstrengung mehrerer Männer gelang. Der gefesselte Schamane zitterte und zuckte noch lange Zeit. Bei all diesen Handlungen ist der ständige Begleiter des Schamanen seine Trommel, die er in der Hand hält und kräftig nach einem eintönigen Rhythmus schlägt. Wie uns Rubruk berichtet, soll übrigens auch die Hypnose zum Zwecke der Weissagung den Mongolen bekannt gewesen sein[38].

Die Schamanen befragten die Geister nicht nur, sie waren auch in der Austreibung böser Geister bewandert. Durch ihre Beschwörung konnten sie, nach der Überzeugung der Mongolen, selbst die Luft in Aufruhr bringen. Einige behaupteten, daß sie im Besitze eines Regensteins seien, womit sie jederzeit Regen machen könnten. Das Unwetter abzuhalten oder zu vertreiben war auch eine der Aufgaben der Wetterbeschwörer. Mit Begeisterung erzählt Marco Polo, wie die Schamanen, die er als Sterndeuter und Magier bezeichnet, beim Frühlingsfest ihre Geschicklichkeit in einer bewundernswerten Weise vorführten: »Wenn sich der Himmel bewölkte und es zu regnen drohte, bestiegen sie das Dach des Palastes, in welchem der Großkhan residierte, hielten durch ihre Zaubersprüche den Regen ab und beschwörten das Unwetter, so daß, wenn es ringsum im Land regnete, stürmte und donnerte, der Palast von den Elementen unangefochten blieb«[39].

Nach der Auffassung der Mongolen waren Krankheiten zumeist die Folge von Beschwörungen, und so übten die Schamanen auch die Funktionen von Ärzten aus. Die Jurte des Kranken wurde durch eine aufgesteckte Lanze bezeichnet, oder man stellte rings um das Zeltlager im weiten Kreise Wächter auf, die den Zutritt zu dem Kranken verhindern sollten, da mit den Besuchern unter Umständen auch ein böser Geist oder ein verderblicher Wind in das Lager des Kranken hätte kommen können[40]. Wenn jemand von den Großen des Hofes krank wurde und man seinen Tod befürchtete, bestiegen fünfzig oder noch mehr Männer ihre Pferde, galoppierten um die Jurte des vornehmen Mannes und schwangen dabei ihre Lanzen nach rechts und links, um den Engel des Todes abzuwehren[41]. Ließ sich der Todesengel nicht vertreiben und starb der Kranke, so kam es zu großen Beerdigungszeremonien. Man gab bei der Bestattung dem Toten Stoffe, Gewänder, Nahrung und Pferdemilch mit, und auf das Grab stellte man ein aufgespießtes und ausgestopftes Pferd. Am Grabe wurde ein Leichenschmaus abgehalten, bei dem Pferdefleisch verspeist wurde. Die übriggebliebenen Knochen verbrannte man nach dreitägigem Feiern zu Ehren des Verstorbenen. Der Höhepunkt dieser Zeremonie war die Reinigung der Jurte. Dieser Vorgang – allerdings in einer späteren Zeit – wird uns von Radloff in eindrucksvollen Bildern folgendermaßen geschildert:

»Die höchste Kunst des Schamanen ist die sogenannte Reinigung der Jurte. Diese geschieht am vierzigsten Tage nach dem Tode eines Familienmitgliedes. Die Reinigung der Jurte wird gewöhnlich unter besonderer Hilfeleistung des Jajyk Kan – Gott des Wassers – ausgeführt und es werden ihm für diese Hilfe auch Opfer dargebracht. Die Reinigung der Jurte ist besonders dann wichtig, wenn mehrere Todesfälle hintereinander in einer Familie eingetreten sind. Nach dem Glauben der Altaier nämlich verweilt die Seele des Toten gern noch einige Zeit im Hause und verläßt es unwillig allein, sondern entführt oft mit sich andere Glieder der Familie oder Hausgenossen oder wenigstens Vieh ins Totenreich. Jajyk Kan vermag nun am besten durch Herbeitreten von Wasserfluten die Rückgabe der schon zum Teil entführten Seelen zu erzwingen und die Seele des Toten selbst in die Unterwelt zu treiben.

Dieser Glaube von dem schädlichen Einfluß der Seele des Gestorbenen liegt zum Teil in dem festen Familienverhältnis zwischen toten und lebenden Verwandten, welches man als Grundlage des Schamanenglaubens erkennen kann; andererseits ist er durch die häufigen Seuchen entstanden, welche unter den jeder ärztlichen Hilfe entbehrenden Altaiern oft furchtbar verheerend wirken.

Im Juli 1860 hatte ich Gelegenheit, selbst einer solchen Reinigung des Hauses beizuwohnen, welche am Kengi-See stattfand. Als ich mich etwas nach Sonnenuntergang in der Jurte, wo die Feierlichkeit stattfinden sollte, einfand, waren etwa zwanzig Personen versammelt, Verwandte und Nachbarn. Der Wirt wies mir einen Ehrenplatz dicht bei der Jurtenwand an. Er erklärte mir, seine Frau sei vor einigen Wochen gestorben und nun habe er einen bewährten Schamanen von der Katunja hergerufen, der sollte ihm sein Haus reinigen.

Als es dunkel zu werden anfing, tönten in einiger Entfernung von der Jurte die dumpfen Schläge der Schamanentrommel. Ich trat an die Tür der Jurte und sah, wie der Schamane in gemessenem Schritte, etwa hundert Schritte von der Jurte seine gleichmäßige eintönige Singweise hervorstoßend, die Jurte umkreiste und von Zeit zu Zeit stark gegen die Trommel schlug. Allmählich wurde der Kreis des Schamanen immer enger und enger, bis er endlich dicht an der äußeren Seite der Jurtenwand entlangschritt und zuletzt durch die Tür in die von dem hell brennenden Feuer erleuchtete Jurte trat. Jetzt näherte er sich dem Feuer, hielt die Trommel nach allen Richtungen über dasselbe, so daß der Rauch die Innen- und Außenseite des Felles der Schamanentrommel bestrich. Dann setzte er sich feierlich zwischen Tür und Feuer nieder und begann seinen eintönigen schnarrenden Gesang, der in kurzen, abgebrochenen Tönen hervorgestoßen wurde. Der Gesang wurde immer leiser und leiser, und die von Zeit zu Zeit gegen die Trommel geführten Schläge wurden immer sanfter, bis zuletzt der Gesang in ein leises, wimmerndes Klagen und Flüstern überging.

Darauf erhob sich der Schamane vorsichtig und schritt mit schleichendem Gang in der Jurte rund um das Feuer, rief den Namen der Verstorbenen und wandte den Kopf nach allen Seiten, gleichsam als ob er die Gerufene im Hause suche. Zuweilen sprach er mit Fistelstimme, indem er die Stimme der Verstorbenen nachahmte, die ihn wimmernd anflehte, sie bei den Ihrigen zu lassen. Sie fürchte sich vor dem Wege; der sei so endlos weit, daß sie ihn nicht allein zurücklegen könne. Sie möchte so gern bei den Kindern bleiben. Unbarmherzig drängt sie der Schamane durch die Macht seiner Trommel, die er ja vor dem Eintritt in die Jurte mit vielen mächtigen Geistern gefüllt hat, von einer Ecke der Jurte in die andere. Erst nach langem Suchen und Drängen gelingt es ihm, die Seele der Verstorbenen zwischen Trommel und Orbu (Schlegel) zu fassen und sie dann mit der Trommel gegen die Erde zu drücken. Sein Gesang tönt jetzt immer lauter und heftiger, wird aber noch immer von dem leisen Wimmern der Festgehaltenen unterbrochen.

Jetzt kehrt der Schamane die Zaubertrommel mit der Vorderseite zur Erde und schlägt so, daß die Schläge dumpf und hohl tönen, als ob sie tief aus der Erde hervordrängen. Auch der Gesang wird immer dumpfer und nimmt zuletzt einen gurgelnden Ton an; denn der Schamane entfernt sich von der Jurte und hat den Weg zur Unterwelt, zum Reiche der Toten angetreten. Zugleich wird der Gesang immer leiser und geht zuletzt in ein leises Geflüster über. Mit einem heftigen Schlage zeigt er endlich seine Ankunft im Totenreiche an. Nunmehr beginnt eine Unterredung mit den im Totenreiche sich befindenden früher verstorbenen Verwandten, zu denen der Schamane die Tote bringt. Sie verweigern die Aufnahme der neuen Seele. Der Schamane sucht sie zu überreden, bittet und fleht. Alles vergebens. Da ergreift er die Branntweinflasche und kredenzt den Toten das Lebenswasser. Sie nehmen es freudig an, es entsteht ein buntes Gewirr von allerlei Stimmen, die allmählich einen mehr und mehr lallenden Ton annehmen, da der Branntwein wirkt. Die Toten singen und jauchzen, und daher gelingt es ihm endlich, die neue Seele bei ihnen einzuschmuggeln. Jetzt wird der Gesang des Schamanen immer stärker, da er das Totenreich verlassen hat und sich nun der Oberwelt wieder nähert. Oben angelangt springt er plötzlich auf und gerät in heftige Verzückungen. Der Gesang geht zuletzt in ein wildes Schreien über; dabei tanzt der Schamane in wilden Sprüngen in der Jurte umher, bis er zuletzt, in Schweiß gebadet, bewußtlos zur Erde sinkt.

Die wilde Szene hatte bei der magischen Beleuchtung des Feuers auf mich einen so mächtigen Eindruck gemacht, daß ich eine Zeitlang den Schamanen mit den Augen verfolgte und ganz und gar die Umgebung vergaß. Auch die Altajer waren von der wilden Szene erschüttert, ihre Pfeifen waren zur Erde gesunken, und es herrschte eine Viertelstunde eine lautlose Stille.

Auch die Szene im Totenlande wird von verschiedenen Schamanen und bei verschiedenen Umständen ungleichartig vorgestellt. Manchmal gelingt es nicht, den Toten einzuschmuggeln, manchmal aber entflieht die Seele dem Schamanen und kehrt zur Jurte zurück; dann folgt er ihr, und die Szene beginnt von neuem. Wenn der Schaman den Jajyk Kan – den Gott des Wassers – zur Hilfe ruft, so wird die lustige Zechszene im Totenreiche plötzlich durch das Andringen von Wogen unterbrochen. Da beginnt ein allgemeiner Wirrwarr, ein wildes Durcheinanderlaufen. Der Schamane ahmt das Brausen des andringenden Wassers nach. Die Toten schreien um Hilfe, jammern und weinen. Nun wird das schon von den Toten fortgetriebene Vieh oder die Seele von Verwandten zur Heimat zurückgetrieben. Manche Schamanen sollen bei der Ausführung dieser Beschwörung ihr Gesicht mit Ruß beschmieren, damit sie in der Unterwelt von den Toten nicht erkannt werden«[42].

Dem Feuer wurde eine reinigende Kraft zugeschrieben. Die Jurte des Verstorbenen und sein Hab und Gut wurden einer Reinigung durch das Feuer unterzogen. Einer besonderen Reinigung bedurften Tiere, Menschen und Gegenstände, wenn die Jurte vom Blitz getroffen wurde. Fremde, vor allem die Gesandten, die in das Lager des Großkhans kamen, mußten ebenfalls gereinigt werden; man zwang sie, zwischen zwei Feuern hindurchzugehen. Auch die dargebrachten Geschenke wurden nicht angerührt, solange sie nicht durch das Feuer gereinigt worden waren.

Obwohl die Mongolen kein Religionsbuch besaßen, das ihnen bestimmte Gebote und Verbote auferlegt hätte, hatten sie doch Bräuche und Überlieferungen, nach denen gewisse Handlungen streng vermieden werden mußten. So wurde etwa beim Eintreten in den Palast das Berühren der Türschwelle als ein böses Zeichen betrachtet. Marco Polo erzählt, wie an jeder Tür des kaiserlichen Palastes zwei Männer von riesiger Gestalt, mit einem Stabe in der Hand, Wache hielten, um die Leute davon abzuhalten, daß sie mit den Füßen die Türschwelle berührten, und sie zu nötigen, darüber hinwegzuschreiten. Wenn sich jemand versehentlich dieses Vergehens schuldig machte, nahmen ihm die Wächter die Kleider weg, oder aber sie gaben ihm, ihrem Auftrag gemäß, eine Anzahl Schläge[43]. Nach den ungeschriebenen Gesetzen durfte man auch das Fleisch nicht neben Feuer hacken, oder den Dolch nicht in das Feuer halten. Ebenfalls untersagt war, die Pferde mit dem Zügel zu schlagen oder die Pfeile mit der Peitsche zu berühren, und es gehörte zu den streng verbotenen Handlungen, junge Vögel zu töten, Milch oder Speise auf den Boden zu schütten oder in einem geschlossenen Raume zu urinieren.

In manchen volkstümlichen Bräuchen der vorderasiatischen Länder lassen sich heute noch Spuren und Überreste dieser religiösen Sitten finden. Kein Mensch weiß mehr, was sie einst bedeutet haben; das Medium, in dem sie weiterleben, ist der weitverbreitete Aberglaube, der heute ausschließlich auf einer Furcht vor Geistern beruht.

STEPPENVÖLKER UND NOMADENTUM

»Die guten Mongolen haben ein tiefreligiöses Gefühl, sie denken unablässig an das Jenseits und achten die Dinge dieser Welt nur gering. Sie leben auf Erden, als lebten sie nicht auf ihr. Sie beackern den Boden nicht und bauen auch keine Häuser, sind gleichsam nur durchreisende Fremdlinge, und das lebendige Gefühl, von dem sie tief durchdrungen sind, drückt sich in langen Reisen (Pilgerfahrten) aus«[44].

Mit diesen schönen Worten entwirft Huc ein Bild des Nomadentums, dem eigentlich eher eine romantische Vorstellung als eine historische Wirklichkeit zugrunde liegt. Die harte Realität, mit der sich die Mongolen ständig auseinandersetzen mußten, gab ihnen wenig Anlaß für Jenseitsträumereien, so wie sie hier dargestellt werden. In der »Geheimen Geschichte«, die uns den ältesten mongolischen Bericht über dieses Steppenvolk überliefert, lernen wir eine Reihe von Nomadenstämmen kennen, die, im Gegensatz zu allen verschönernden Ausmalungen späterer

Zeiten, auf ihre Herden und Jagdbeute angewiesen waren und einen ständigen Kampf ums Dasein führen mußten[45]. Verrat und Überfall, Raub, Niedermetzelung und Versklavung der Feinde sind die wichtigsten Ereignisse, die uns der Schreiber der »Geheimen Geschichte« zu berichten hat. Nichts deutet hier auf einen Jenseitsglauben hin, auf Wundergeschichten und fromme Legenden, die in den späteren chinesischen Quellen so häufig vorkommen; und es scheint, daß in der Vorstellungswelt der Mongolen der Sinn für das Übernatürliche entweder gänzlich fehlte oder aber ihm nur recht geringe Bedeutung zugemessen wurde. Dieses Volk, das dank der Schnelligkeit und Beweglichkeit seiner Reiterscharen – denen die schwerbewaffneten Berufsheere nicht gewachsen waren – das größte Reich der Weltgeschichte gründete, war nur von einem einzigen Gedanken besessen, nämlich, daß Gott ihm die Herrschaft über die Erde übertragen hätte. Nichts zeugt dafür, daß sie die Schätze der Welt mißachtet hätten und ihnen etwa der Sinn für Eigentum abgegangen wäre. Beute von erschlagenen Feinden war nach ihrer Überzeugung ihr rechtlicher Besitz, von dem ein Teil dem Herrscher zustand. Die Unterschlagung dieses Beuteanteils wurde vom Khan als eine Einschränkung seines Herrscherrechtes empfunden. Als bei der Eroberung der Stadt Urgendsch am Aralsee die Prinzen Coči, Čagadai und Ogodai die Beute untereinander teilten, ohne an Dschingis Khan den Beuteanteil abzuführen, war der Zorn des Vaters so groß, daß er sich erst durch die Vermittlung der nächsten Freunde besänftigen ließ. Kampf um Herden und Weideland war bei ihnen gang und gäbe. Die Weideplätze wurden daher den Stämmen zugeteilt, und obwohl sie umherzogen, hatte doch jeder Stamm sein besonderes Weideland. »Die Mongolen haben«, sagt Rubruk, »das Land von der Donau bis nach Sonnenaufgang unter sich geteilt, und jeder Häuptling, je nachdem, ob er mehr oder weniger Leute unter sich hat, kennt die Grenzen seines Weidelandes, wo seine Leute ihr Vieh im Sommer und im Winter, im Frühling und Herbst weiden dürfen. Im Winter wandern sie herab nach wärmeren Landstrichen im Süden, im Sommer ziehen sie in kältere Zonen nach Norden«[46].

EINRICHTUNG UND AUSSTATTUNG DER ZELTE

Die kleinste soziale Nomadeneinheit, die im Sommer und Winter beisammenblieb, bestand aus sechs bis zehn Familien, die man das Awul (Agyl, Umzäunung, Hürde) nannte. Sie hatten runde zeltartige Wohnungen, die aus Ruten und dünnen Stäben gemacht waren. Dieses leichte Holzgerüst wurde mit schwarzem Filz bekleidet; das Ganze wurde manchmal mit Kalk angestrichen, so daß die Zelte weiß glänzten. Die Feuerstelle befand sich in der Mitte des Innenraumes; darüber war eine runde Öffnung, durch die der Rauch abzog und das Licht hereinfiel. Vor den Eingang wurde gegen Wind und Kälte ein Filzvorhang gehängt, der in die Höhe gezogen werden konnte. Solche Vorhänge waren mit Stickereien verziert, die Weinstöcke und Bäume, Vögel und wilde Tiere darstellten[47].

Die kleinen Jurten konnten in kürzester Zeit abgeschlagen und wiederaufgestellt werden; sie wurden auf Saumtieren transportiert. Die größeren dagegen konnten nicht auseinandergenommen werden. Sie mußten auf Wagen befördert werden, die je nach Größe von einem oder mehreren Ochsen gezogen wurden.

Ein reicher Mann konnte mehrere hundert Wagen dieser Art besitzen. Batu Khan hatte 26 Frauen; jede hatte eine große Jurte und zu jeder Jurte gehörten zweihundert Wagen. Eine Frau führte zwanzig bis dreißig von diesen Wagen. Die mit Ochsen und Kamelen bespannten Wagen wurden hintereinander geschirrt, und kam man an eine schwer zu passierende Wegstelle, so löste man die Wagen voneinander und schaffte sie einen nach dem anderen darüber hinweg[48].

Den ersten Eindruck eines großen wandernden Heerlagers in Kiptschak gibt uns Ibn Battûta in folgenden Sätzen wieder: »Es rückte das kaiserliche Heerlager, das sie Ordu nannten, heran. Das Ganze bot den Anblick einer großen Stadt, die – auf Wagen geladen – samt ihren Bewohnern in Bewegung begriffen war. Da sah man Moscheen, Märkte und den Rauch, der aus den Küchen zum Himmel aufstieg – die Türken kochen nämlich auf der Reise – da sah man die Arabas (Wagen), von Pferden gezogen, auf denen sie fuhren«[49].

Wenn sie die Jurten von den Wagen abgeladen hatten, wurden die Lagerzelte nach einer bestimmten Anordnung aufgestellt. In der Mitte stand, mit der Tür nach Süden gerichtet, das Hoflager. Da vor und hinter dem Hoflager der Platz freibleiben mußte, dehnten sich die Zelte der Untertanen nach Osten und Westen, d. h. zu beiden Seiten der Orda aus, so daß das Ganze wie ein Steppendorf aussah. Als Rubruk das Zeltlager Batus zum erstenmal sah, machten die Jurten auf ihn den Eindruck einer ausgedehnten großen Stadt, in der es im Umkreis von drei bis vier Stunden von Menschen wimmelte[50].

Die Zelte wurden, mit der Türe nach Süden gerichtet, aufgestellt und man schlug das Bett des Herrn an der Nordseite auf. Der Platz der Frauen war immer auf der östlichen Seite, d. h. zur Linken des Herrn der Jurte, wenn er, das Gesicht nach Süden gerichtet, auf seinem Bett saß; der Platz für die Männer war auf der westlichen Seite, d. h. zur Rechten[51]. Das Zelt des Herrschers war aus besonders schönem Stoff, zumeist aus Leinwand. Man nannte es wegen des goldenen Überzugs das goldene Zelt (Altinordu). Sehr anschaulich schildert Carpini ein solches Zelt, in dem Batu seinen prächtigen Hof hielt. Der Khan saß in ihm, umgeben von dicht gedrängten Reihen von Höflingen, mit einer seiner Gemahlinnen auf einem hohen goldenen Thron; seine Brüder und Söhne und die hohen Würdenträger durften etwas niedriger in der Mitte auf einer Bank sitzen, während das übrige Volk hinter ihnen auf dem Boden hockte, und zwar die Männer zur Rechten, die Frauen zur Linken[52].

Obwohl sich die Großkhane bald große Paläste erbauen ließen, wurden bei wichtigen Ereignissen, wie etwa den Wahlen, nach herkömmlichem Brauch Zelte benutzt. So berichtet uns Carpini, wie bei der Thronbesteigung Guyuks »ein großes Zelt, das aus weißem Purpur hergestellt war, aufgespannt wurde«[53]. Nach seiner Schätzung konnten in ihm gut zweitausend Menschen Platz finden. Die Großen versammelten sich hier und trugen am ersten Tage der Kaiserwahl weiße, am zweiten Tage rote und am dritten Tage blaue Purpurkleider, während sie am vierten Tage, der auch der letzte Wahltag war, mit feinsten Baldachinstoffen bekleidet waren.

Von solchen Prachtjurten im Ostreich berichtet auch Marco Polo. Kubilai Khan wurde bei seinen Jagdzügen von seiner ganzen Familie, von Ärzten, Astronomen, Falknern und allen anderen Hofbeamten begleitet, und dementsprechend mußten große Zelte hergerichtet werden, in denen sich verschiedene Säle und Hallen befanden. Das Zelt, in welchem Marco Polo Audienz erhielt, soll so geräumig gewesen sein, daß es tausend Menschen hätte fassen können. Die Zelte, in denen er und seine Begleiter wohnten, waren etwas kleiner, aber sie standen diesem in der prachtvollen Ausstattung nicht nach. Sie wurden von vergoldeten hölzernen Säulen gestützt, außen mit getreiften Löwen- und Leopardenfellen bedeckt, innen mit Hermelin- und Zobelpelzen ausgestattet. Die Seile, mit denen man die Zelte befestigte, waren alle aus Seide[54].

ETHNISCHE MERKMALE DER MONGOLEN

Albericus beschreibt im Jahre 1239 nach der Darstellung eines Augenzeugen die Tataren folgendermaßen: »Sie haben einen dicken Kopf, einen kurzen Nacken, eine sehr breite Brust, dicke Arme, kurze Beine und besitzen eine wunderbare große Kraft«[55]. In Carpinis Beschreibung wird auf den breiten Abstand zwischen den geschlitzten Augen, auf die starkentwickelten Backenknochen, auf die kleine und glatte Nase und den spärlichen Haarwuchs hingewiesen[56]. Damit mag man die Schilderung eines späteren Reisenden, Radloff, vergleichen, der das Aussehen der Bewohner des Althai, die dem mongolischen Typus sehr nahe verwandt sind, wie folgt beschreibt: »Mit wenigen Ausnahmen sind sie von mittlerer Statur, dabei sind sie untersetzt und breitschultrig. Der Körper ist meist hager und sehr muskulös; weder unter den Männern noch unter den Frauen kommen dicke Leute vor. Hände und Füße sind klein, die Beine sind meistens krumm . . . die Gesichter sind breit und flach, die Stirne ist schmal, die Backenknochen stehen stark hervor, die Nase ist eingedrückt und viel zu klein für das Gesicht, der Mund ist groß, mit dicken Lippen, er weist stets zwei Reihen starker, blendend weißer Zähne auf; schlechte Zähne findet man nur bei ganz alten Leuten. Das Kinn ist meist spitz, der Bartwuchs ist sehr spärlich, selbst auf der Oberlippe. Die Gesichtsfarbe ist dunkel, Haare und Augenbrauen sind tiefschwarz, sehr hart und struppig.«[52]

Die Mongolen zeichneten sich durch einen sonderbaren Haarschnitt aus. Auf dem Scheitel des Kopfes hatten sie, wie die Priester, eine geschorene Platte. »Vorn auf dem Kopfe lassen sie sich ein Haarbüschel stehen, das bis auf die Augenbrauen herabfällt. Ebenso lassen sie an den Ecken des Hinterkopfes die Haare stehen. Diese flechten sie zu Zöpfen und knoten sie hoch bis zu den Ohren«[58].

Die mongolischen Frauen sollen nach übereinstimmenden Berichten der Reisenden sehr sportlich und geschickt beim Reiten und Schießen, dafür aber ausgesprochen häßlich und plump gewesen sein. »Den Frauen fehlt«, sagt Radloff, »jegliche Zierlichkeit und der sonst dem weiblichen Geschlecht eigene elastische Gang«[59]. Nach Rubruk »verunstalten sie sich auch recht häßlich dadurch, daß sie ihre Gesichter bemalen«[60]. Diese Behauptung jedoch wird nirgends bestätigt; es heißt eher, daß sie das Schminken verabscheuten. Nach chinesischen Quellen aus dem 7. Jahrhundert n. Chr. haben sich die Frauen der Kirgisen angeblich tätowiert. Aber das Schminken scheint ihnen nicht bekannt gewesen zu sein. Man erzählt, daß es zuerst am Hofe Timurlenks eingeführt worden war, und daß die Frauen ihre Gesichter mit einem weißen kosmetischen Mittel schminkten, um sich gegen die Sonne zu schützen.

DIE KLEIDUNG

Ein wesentlicher Unterschied zwischen Männerkleidung und Frauenkleidung bestand nicht, nur daß das sackförmige Gewand bei den Frauen länger war als bei den Männern und bis zu den Fersen herabreichte. Außerdem trugen die Frauen darunter noch Hosen. Die Kleider waren von oben bis unten offen und über der Brust doppelt zusammengefaltet. Auf der linken Seite waren sie mit einem Band, auf der rechten Seite mit drei Bändern zusammengeknüpft[61]. Von den Türken unterschieden sich die Tataren darin, daß die letzteren ihre Kleider immer nach rechts, die Türken dagegen nach links zusammenbanden. Die Kleiderstoffe wurden aus Bagdad, Persien und Nordchina eingeführt, die kostbaren Pelze kamen aus bewaldeten nördlichen Gegenden, aus Rußland, aus Großbulgarien an der Wolga, aus dem Lande der Baschkirden und Kirgisen[61].

Die Kopfbedeckung der Männer bestand aus einer Pelzmütze (Külah). Erst Gâzan hat das Tragen des Turbans angeordnet. Der Kopfputz der Frauen wird Boqtaq (Boghtak) genannt. Er hat die Gestalt eines umgekehrten Stiefels, dessen Schaft auf dem Kopf steckt, während die Sohle nach oben steht. Sie ist zwei Fuß hoch und endet oben quadratisch wie das Kapitäl einer Säule. Diesen leichten Kopfputz aus Baumrinde überzog man mit kostbarem Seidenstoff und verzierte ihn auf dem Deckel mit Schwanzfederchen des wilden Enterichs, mit Pfauenfedern und mit kostbaren Steinen. Reiche Damen setzten diesen Putz auf und befestigten ihn mit einer Kapuze, die oben zu diesem Zweck eine Öffnung hatte und unter dem Kinn festgebunden wurde.

CHARAKTEREIGENSCHAFTEN DER MONGOLEN

Die Ausdauer bei Strapazen aller Art scheint allgemein eine Charaktereigenschaft dieses Volkes gewesen zu sein. Das Geheimnis der ungeahnten Erfolge der Mongolen liegt nach übereinstimmenden Berichten der Reisenden in der Widerstandsfähigkeit und außerordentlichen Genügsamkeit, und zwar des gemeinen Kriegers wie auch des Fürsten.

»Wenn sie ein oder zwei Tage fasten, ohne überhaupt irgend etwas zu sich zu nehmen, sieht man sie doch nicht ungeduldig werden, sondern sie singen und spielen, als ob sie die beste Mahlzeit genossen hätten. Beim Reiten können sie viel Kälte ertragen und auch zuweilen große Hitze aushalten; sie sind nicht verweichlicht und empfindlich gegen Witterungseinflüsse«[63]. Ähnlich schreibt später auch Marco Polo: »Manchmal können sie, wenn es nötig ist, ohne Zufuhr von Lebensmitteln einen ganzen Monat lang im Kriege ausharren, indem sie von der Milch ihrer Pferde, von der Jagdbeute und von getrockneter Milch leben. Auch ihre Pferde begnügen sich mit dem Gras auf dem Felde, so daß man für sie keine Vorräte an Gerste, Stroh oder Hafer mitzuschleppen braucht«[64]. Ähnliche Sätze finden wir auch bei Radloff. Er schreibt, daß, als er im Jahre 1861 wochenlang mit seinen Begleitern im Quellgebiet des Kemtschik umherirrte, »weder Kälte noch Hitze, weder die weiten Tagesmärsche noch die Beschwerden des Weges über Felsen, Sümpfe und reißende Ströme, weder Hunger noch Durst auf seine Begleiter auch nur den geringsten Eindruck zu machen schienen. Nirgends eine Klage oder ein Wort des Vorwurfs oder auch nur ein unwilliges Murren, immer dieselbe Unverdrossenheit, dieselbe heitere Laune, dieselbe Bereitwilligkeit«[65].

Eine weitere Eigenschaft, über die die Franziskaner mit Bewunderung berichten, ist ihr Gehorsam: »In der ganzen Welt gibt es weder bei den Laien noch bei den Ordensbrüdern gehorsamere Untertanen als die Tartaren; sie erweisen ihren Herren mehr Ehrfurcht als andere Leute und wagen es nicht leicht, sie anzulügen«[66]. Ähnlich sagt auch Qazwînî: »Die Tartaren leisten ihren Königen solchen Gehorsam, daß wenn ein Fürst einem seiner Statthalter den Befehl erteilt, er solle sein Amt niederlegen und einem anderen übergeben, er diesem Befehl gleich nachkommt, auch wenn er eine Jahresreise von seinem Herrn entfernt ist und ein Heer von fünfzigtausend Reitern unter sich hat«[67]. Es scheint, daß diese Eigenschaft – Gehorsam gegen die Befehlshaber – sich bis auf den heutigen Tag vererbt hat. Radloff schreibt von den Althaiern: »Ein Charakterzug derselben ist die hohe Achtung, die sie stets dem Alter erweisen, und der Gehorsam gegen jede vorgesetzte Behörde ... Die Befehle der eigenen und der russischen Behörde vollführt man auf das pünktlichste und ohne Murren«[68]. Die Treue gegen den Herrn, den rechtmäßigen Herrscher, achteten die Mongolen selbst beim Feinde. So wurden diejenigen, die ihre Herren an Čingis Khan verrieten, enthauptet«[69].

Die Lüge wurde bei ihnen sehr hart bestraft. Denn nach ihrer Ansicht ist sie ein Verbrechen, das unter keinen Umständen verziehen werden kann[70]. Ebenso soll bei ihnen Diebstahl nicht vorgekommen sein. So schreibt Ibn Battûta: »Pferde gibt es in großer Menge in Kiptschak; sie haben keine Hirten und Wächter wegen der strengen Gesetze der Türken (Mongolen) gegen Diebstahl«[71]. Wenn Vieh verloren ging, so überließ es der Finder entweder seinem Schicksal, oder er brachte es zu den Personen, die ausdrücklich für solche Fälle da waren. Der Besitzer der verlorengegangenen Tiere fragte bei diesen nach und erhielt sie ohne Schwierigkeiten wieder zurück.

Obwohl Trunksucht bei den Mongolen sehr verbreitet war, soll es unter ihnen selten zu Streit gekommen sein, und einer soll dem anderen die schuldige Achtung erwiesen haben«[72]. Die Eintracht bei den Mongolen wird in den älteren wie neueren Reiseberichten stets gerühmt. So schreibt Radloff in diesem Zusammenhang folgendes: »Jeder Arme, der sich an die Familie des Reichen anschließt, hält sich für ein Glied derselben ... Das ganze Volk bildet gleichsam eine Familie, deren Angehörige in der Not einander beistehen ... Jeder in die Jurte eintretende wird fast als Familienmitglied betrachtet. Wenn die Familie ißt, so ißt er mit ... Man mag einem Kalmücken geben, was man will, er teilt es mit allen Anwesenden. Sie lieben zum Beispiel Zucker und Brot über alles. Gibt man aber irgend einem Anwensenden ein Stück Zucker, so beißt er diesen in so kleine Stücke, daß jeder der Anwesenden ein Stückchen erhält«[73].

Sie sollen allen Frauen in der Welt große Ehre erwiesen haben, besonders ihren eigenen Frauen ... Die Frauen sollen aber auch ihren Männern außerordentlich treu gewesen sein. Über Unzucht ist nichts bekannt.

All diese rühmlichen Tugenden sollen jedoch bei den Mongolen im Umgang mit Fremden in ihr Gegenteil umgeschlagen sein. So sagt Carpini, der die Mongolen als wahrheitsliebende Menschen lobt, zu gleicher Zeit, daß sie »die größten Lügner der Welt sind, gegen andere Menschen (als die Tataren), und man findet fast kein wahres Wort in ihrem Munde«[74]. Plünderung fremden Gutes wurde für Recht gehalten. Dieses Volk, unter sich so bescheiden und friedlich, war äußerst hochmütig gegen andere Menschen und schaute mit Verachtung auf alle anderen herab. Sie fühlten sich »als Herren der Welt« und so weit verstiegen sie sich, nach Rubruk, in ihrem Hochmut, »daß sie sich schämten, Christen zu heißen, auch wenn sie es waren, daß sie sogar den Namen der stammverwandten Tataren ausrotten und an dessen Stelle ihren eigenen Namen Mongolen setzen wollten, und daß sie meinten, alle Welt müsse mit ihnen Frieden schließen«[75].

DIE STELLUNG DER FRAU

Nach dem mongolischen Eherecht wurde die Frau durch Kauf erworben. Den Männern stand das Recht der uneingeschränkten Polygamie zu. Eheverbote bestanden gegenüber der Mutter, der leiblichen Schwester und der Tochter, nicht aber gegenüber der Halbschwester und den anderen Verwandten.

Trotz der Vielweiberei waren die Frauen bei den Mongolen freier als bei den Arabern und Persern. Diese Freiheit beruhte auf einer Arbeitsteilung zwischen Frauen und Männern. Zu den Pflichten der Frauen gehörte es, die Wagen zu lenken, die Jurten auf die Wagen zu laden und sie wieder abzuladen, die Kühe zu melken, die Felle zu gerben, Kleider zu nähen und Strümpfe zu stricken, Filzdecken anzufertigen usw., während die Männer Pfeile und Bogen, Sättel, Steigbügel und Zügel machten, Jurten und Wagen zimmerten und reparierten und in friedlichen Zeiten sich um Jagd und Vogelbeize kümmerten. Die Frauen konnten wie die Männer reiten und manche konnten sogar mit dem Bogen ebensogut umgehen wie die Männer[76].

Die Mongolen legten auf Abstammung und Zugehörigkeit zu einer vornehmen Familie großen Wert, und für die Auswahl der Hauptfrauen der Adligen kamen nur einige mongolische Stämme, die Čінggis Khan bestimmt hatte, in Frage. Zu diesen gehörten die Oyiraten, die Naiman und der christliche Stamm der Kereit, zu dem die Mutter Mungges wie Hulagus Gemahlin, Doqus Hâtun, gehörten.

Die königlichen Frauen durften Gesandte empfangen und nahmen an verschiedenen Veranstaltungen, wie etwa an Herrscherwahlen, teil. Die Mutter der Herrscher spielte dabei eine sehr wichtige Rolle. Als Činggis Khan auf eine Verleumdung hin seinen Bruder Hasar umbringen wollte, wurde er von seiner Mutter überrascht. Die Mutter kam in ihrem Zorn dazu, stieg vom Karren, löste selbst Hasars zusammengebundene Arme und befreite ihn. Nach der »Geheimen Geschichte«, die über diesen Vorfall berichtet, soll Činggis Khan vor der Mutter so erschrocken sein, daß er erzitterte[77]. Bei wichtigen Ereignissen und Entschlüssen konnten die Frauen der Herrscher mitsprechen. Als Činggis Khan sich zu dem Kriegszuge nach Westen anschickte, schlug Königin Yesui ihm vor, einen von seinen Söhnen als seinen Nachfolger zu bestimmen. Zu diesem Vorschlag soll sich Činggis Khan folgendermaßen geäußert haben: »Wenn Yesui auch nur eine Frauensperson ist, so sind ihre Worte doch das Allerrichtigste. Keiner von euch hat jemals einen solchen Gedanken vorgetragen. Auch ich selbst habe vergessen, daran zu denken, als ob ich meinen Vorfahren nicht auch einmal nachfolgen müßte. Ich habe geschlafen, als ob ich nie vom Tode erfaßt werden könnte«[78]. Der Entschluß des Großkhans fiel auf seinen dritten Sohn Ogodai, der dann auch nach seinem Tode zum Großkhan gewählt wurde.

JAGD

Wie alle Nomaden waren auch die Mongolen auf ihre Herden angewiesen. Ihre Nahrung bestand in der Hauptsache aus Kumys (gegorene Milch) und aus Fleisch[79]. Pferde, Rinder und Schafe wurden in großen Mengen gezüchtet. Sie jedoch genügten nicht für den Bedarf und man mußte im Winter große Staatsjagden abhalten, an denen auch die Vornehmen teilnahmen. Činggis Khans Jagdgründe lagen in der Gegend von Almalik; Ogodai ließ sich bei Karakorum einen besonderen Jagdpark anlegen. Durch diese Jagden erhielten die Feudalherren den unmittelbaren Ertrag ihres Grundbesitzes, und außerdem wurden die Truppen in Friedenszeiten in Übung gehalten.

Ausführliche Berichte besitzen wir über die Jagden, die in China abgehalten wurden. Marco Polo, selbst ein leidenschaftlicher Jäger, gibt eine Schilderung von der Vogelbeize Kubilai Khans, an welcher zehntausend Falkner mit fünftausend Geierfalken und vielen anderen Jagdvögeln beteiligt waren[80]. Gâzan Khan beschränkte die Zahl der Falken an seinem Hofe auf tausend. Später wurden am persischen Hofe achthundert Falken gehalten, von denen jeder seinen eigenen Wärter hatte. Wie Radloff erzählt, soll die Vogelbeize noch heute die Lieblingsbeschäftigung der reichen Kirgisen sein.

An den großen Treibjagden Kubilai Khans nahmen – nach der Angabe Marco Polos – zwanzigtausend Jäger in roter und blauer Uniform teil. Sie sollen über zehntausend Jagdhunde gehabt haben. Unter den Jagdtieren waren außer den Hunden auch Leoparden, Luchse und Löwen, die in Käfigen mitgeführt wurden. »Es ist ein prächtiger Anblick«, sagt Marco Polo begeistert, »wenn der Löwe losgelassen ist und das Tier verfolgt, die wilde Begierde und Schnelligkeit zu sehen, mit welcher er es holt«[81]. Durch diese Jagdtiere wurden Eber, wilde Stiere, Esel, Bären, Hirsche, Rehböcke und anderes Wild gefangen. Die Adler, die abgerichtet wurden auf Wölfe zu stoßen, waren so groß und stark, daß sich kein Wolf ihren Klauen entreißen konnte.

Diese Anordnung von großen Jagden beruhte auf dem Yasa, dem Gesetzbuch Činggis Khans. Nach diesem Gesetz bestand auch von März bis Oktober ein Jagdverbot für Hirsche, Rehe, Gemsen, Hasen, Wildesel und gewisse Arten von Vögeln, damit sie sich vermehren konnten.

DAS MONGOLISCHE HEER, WAFFEN UND KRIEGSFÜHRUNG

Das in der Entstehung des mongolischen Weltreiches liegende militärische Wunder wird mit der Überlegenheit der leichten und schnellen Steppenreiter über die schwerbewaffneten Berufsheere erklärt. Der Aufbau dieses Heeres beruhte auf dem Zehnersystem. Die unterste Gruppeneinheit bestand aus zehn Mann, die nächsthöheren aus hundert, tausend usw. Zehntausend Mann bildeten eine Heeresabteilung (Tümen), die einem Zehntausendschaftsführer unterstand, der als Feldzeichen durch Roßschweif (Tug) ausgezeichnet war und Fahnen und Wimpel verschiedener Art besaß. Das mongolische Heer bestand aus mehreren dieser Zehntausendschaften und wurde in Kriegsfällen in einen rechten und linken Flügel und in eine Mitte gegliedert. Die Kommandanten des Heeres unterstanden dem Oberbefehlshaber für die gesamten Streitkräfte.

Die Ernennung der Befehlshaber war eine Sache des Herrschers, und bei der Auswahl wurden an erster Stelle die Kreise der mongolischen Aristokratie berücksichtigt. Die strenge Heeresdisziplin bei den Mongolen war sprichwörtlich. Gehorsamsverweigerung kam selten vor; sie wurde im Krieg mit dem Tode bestraft.

Über die Größe der mongolischen Heere wird sich nichts Genaueres sagen lassen. Reŝîdeddin berichtet von einer Kerntruppe von 130000 Mann, die zu Kriegszeiten auf das Zehnfache (bis auf 1400000 Mann) erhöht wurde. Unter der Herrschaft von Ogodai sollen 1500000 Mann in fünf Abteilungen zum Kampfe bereit gewesen sein[82].

Das mongolische Heer bestand in der Hauptsache aus Reitern. Die Fußtruppen spielten in ihm eine recht unbedeutende Rolle. Als Rüstung trugen die Krieger Panzer, Helm, Arm- und Beinschutz, die aus Eisen oder Leder hergestellt wurden. Auch die Rosse waren gepanzert und wurden durch eine eiserne Platte über dem Kopf geschützt. Der Schild bestand aus Leder oder wurde aus Weiden oder Ruten geflochten. Pfeil und Bogen waren die Hauptwaffen. Die Lanze und das Schwert, das etwas gekrümmt und am Ende spitz war, dienten zum Nahkampf. Um die Flüsse überqueren zu können, hatten die Mongolen Schläuche, die sie mit ins Feld nahmen, und zum Fortziehen der Kriegsmaschinen hatten sie Beile und Taue dabei.

Wenn sie in den Krieg zogen, schickten sie eine Vorhut voraus, die dem Hauptheer den Weg bahnte. Sobald sie den Feind erblickten, stürmten sie auf ihn los. Wenn jedoch der Feind Widerstand leistete, kam es nicht zu einem richtigen Gefecht, denn sie zogen sich wieder zurück. Man versuchte so, den Gegner in einen Hinterhalt zu locken. Der Rückzug konnte manchmal tagelang dauern. Sie wichen in Kiptschak vor den Russen neun Tage zurück und ebenso in Ungarn von Pesth bis zum Sayo, um dann plötzlich auf einem für sie günstigen Gelände den übermüdeten Feind zu überraschen[82]. Der Kampf begann, nachdem sie den Feind von allen Seiten umzingelt hatten. Sie ließen beim Kampf dem Feind immer eine Gasse zur Flucht offen. Sobald sich der Zusammenhalt in den feindlichen Reihen lockerte und sich die Gegner zur Flucht anschickten, jagdten die Mongolen hinter ihnen her und brachten dann auf der Flucht mehr um, als sie im Kampfe hätten niedermetzeln können[84].

Die Kriegslist gehörte zu den unentbehrlichen Mitteln der Kriegsführung. Die große Verschlagenheit und Schlauheit der Mongolen im Krieg betont auch Kaiser Friedrich II. in seinem Brief über die Mongolengefahr, indem er schreibt: »Die Tataren sind durch ihre Spione, die sie überallhin aussenden, unterrichtet über die Streitigkeiten und Uneinigkeiten in einem Land und kennen seine schwächsten Stellen, die ihnen am wenigsten widerstehen können. Denn wenn sie auch nicht vom Lichte des göttlichen Gesetzes erleuchtet sind, so sind sie nichtsdestoweniger in Sachen des Krieges äußerst schlau und verschlagen«[85]. Von den vielen Erzählungen über die Kriegslisten der Mongolen sei hier nur an einige erinnert: Im Kriege gegen die christlichen Georgier sollen sie Kreuze vor sich getragen haben, um bei den Georgiern den Gedanken zu erwecken, daß sie Christen und Bundesgenossen seien. Als sie die Stadt Merv eroberten, ließen sie, um die Bewohner aus ihren versteckten Schlupfwinkeln herauszulocken, den Gebetsruf ertönen. Diejenigen, die auf diese List hereingefallen und zum Gottesdienst erschienen sind, wurden getötet. Es wird auch berichtet, daß sie im Kriege gegen die Ungarn, auf Grund eines gefälschten Aufrufs des Königs Bela IV., die Einwohner ins Verderben stürzten. Wenn sie die Gegner umzingelten, benutzten sie öfters Puppen in Menschengestalt auf Pferden, um ihre Zahl größer erscheinen zu lassen. Sie stellten im Kampf die Gefangenen vor sich auf, und diese mußten zunächst »die Wucht der feindlichen Waffen in ihrer verderblichen Wirkung auffangen«[86].

Die Behauptung Carpinis, daß die Mongolen den Nahkampf, wenn irgend möglich, vermieden haben, wird auch von Marco Polo bestätigt: »Die Tataren lassen sich niemals in ein regelrechtes Handgemenge ein, sondern sie umschwärmen den Feind und schießen ihre Pfeile gegen ihn ab. Dann tun sie zuweilen, als ob sie fliehen würden, auf der Flucht aber drehen sie sich im Sattel herum und schießen heftig und mit aller Macht gegen den Feind ... Wenn sie so eine große Menge Pferde und Feinde getötet oder verwundet haben, machen sie plötzlich allesamt kehrt und erneuern ihren Angriff in so vollkommener Ordnung und mit so lautem Geschrei, daß die Feinde gar schnell in die Flucht geschlagen werden«[87]. Diese Taktik der Scheinflucht, die später auch bei den Osmanen öfters verwendet wurde, nennen die Mongolen auch den Kampf der Hunde, weil diese sich während der Flucht plötzlich umdrehen und auf den Angreifer losgehen[88].

Nicht nur in der offenen Feldschlacht, sondern auch in der Belagerung der Festungen war ihre Kriegsführung unübertroffen. Sie benutzten dabei neuartige Wurfmaschinen, mit denen man – nach Marco Polo – Steine im Gewicht von 300 Pfund schleudern konnte. Sie benutzten Minen, griechisches Feuer – eine Erfindung des syrisch-griechischen Ingenieurs Kallinikos, die zum ersten Mal gegen die Araber, während ihres Angriffes auf Konstantinopel, verwendet wurde – und versuchten die belagerte Stadt durch Abdämmen des sie durchfließenden Stromes unter Wasser zu setzen. Mit all diesen Mitteln haben sie Festungen, die sich mit äußerster Kraft verteidigten, wie Samarkand (1220) oder Mardin (1229) bezwungen. Die Eroberung dieser Festungen in den kultivierten Ländern beweist, daß sie im Festungskrieg Ausgezeichnetes zu leisten vermochten und ihnen der Umgang mit den neuesten Belagerungsmaschinen keine Schwierigkeiten machte. Allerdings kamen ihnen zu diesem Zwecke auch tüchtige Handwerker und Ingenieure aus kultivierten Ländern zu Hilfe. So wurde Hulagu auf seinem Kriegszug nach Westen um 1253 von einem Stab von 1000 Ingenieuren aus China begleitet. Daraus wird verständlich, weshalb die Mongolen im Kriege die Handwerker und Künstler im feindlichen Lager schonten: nämlich um sie in ihren Dienst zu stellen; bei der Einnahme von Samarkand sollen 30000, von Urgendsch 100000 Handwerker fortgeschleppt worden sein. Nach der Eroberung von Nischapur, Kars und Erzurum soll es ähnlich gewesen sein. Da die Mongolen aus Angst vor Aufständen keinen Feind im Rücken haben wollten, gingen sie mit den Bewohnern der eroberten Städte und Provinzen sehr hart um. So sollen bei der Einnahme von Rey 1000000 Menschen, von Merv 1300000, von Nischapur 1747600 und von Bagdad 800000 umgekommen sein[89].

DAS MONGOLISCHE RECHT

Bei der Reichsgründung spielten die erstaunlichen militärischen Erfolge der Mongolen zweifellos eine sehr große Rolle. Mindestens ebenso bedeutend war aber das, was auf dem Gebiete des mongolischen Rechts geschah, wodurch die Angehörigen dieses primitiven Nomadenstammes, der in einer kurzen Zeit neu organisiert worden war, sich in allen eroberten Kulturländern als »Herren der Welt« behaupten konnten.

Vor Činggis Khan kannten die Mongolen, da ihnen eine Schrift fehlte, nur ein Gewohnheitsrecht. Nach der Reichsgründung ergab sich die Notwendigkeit einer schriftlichen Niederlegung gesetzlicher Regelungen von selbst. So kam es auf der Grundlage des mongolischen Gewohnheitsrechtes und der gesammelten Entscheidungen Činggis Khans zur Niederschrift des »großen Gesetzbuches«, der Yasa, in mongolischer Sprache und in uighurischer Schrift. Dieses Werk wurde zusammen mit dem Reichsschatze aufbewahrt und konnte bei Rechtsversammlungen als letzte Rechtsquelle eingesehen werden. Das Gesetzbuch enthielt Bestimmungen über das Verhalten gegenüber ausländischen Mächten, Regeln der Kriegsführung, der Einteilung des Heeres und der Einrichtung der Post sowie Angaben über die Steuer, den Erbgang und das Verhältnis der Familienmitglieder untereinander.

Die Gesetzgebung Činggis Khans war natürlich ganz auf die Erfordernisse der Zeit eingestellt und bedurfte deshalb laufend des Ausbaus. Dies geschah durch die gesammelten rechtlichen Entscheidungen und Aussprüche der Nachfolger, die als Ergänzung und Auslegung zum Gesetz gesammelt und geordnet, das sogenannte »Bilik« bildeten. Wichtige Rechtsfragen wurden auch in den Reichsversammlungen behandelt. Nicht nur Ogodai, Kuyuk und Mungge, sondern auch die Ilkhane haben sich zur Yasa als der Grundlage ihres Handelns bekannt.

Eine Änderung ist durch den Übertritt Gâzans und der Mongolen zum Islam im Jahre 1295 eingetreten. Von da an trat die Yasa in der Praxis immer mehr in den Hintergrund. Sie hat mit der wachsenden Bedeutung des religiösen Rechts ihre Geltung verloren[90].

WISSENSCHAFT UND TECHNIK

Unter den Wissenschaften, die zur Zeit der Mongolen gefördert wurden, nahm die Geschichtsschreibung eine besondere Stellung ein. Dieser Wissenschaft fiel zunächst die Aufgabe zu, die Ruhmestaten der Großen der Nachwelt zu überliefern, aber darüber hinaus erwartete man von ihr auch die Vermittlung eines enzyklopädischen Wissens, für das die Mongolen ein starkes Interesse zeigten. Unter den historischen Werken dieser Art war Rešîdeddins Weltchronik das bedeutendste. Von den übrigen Wissenschaften wurden diejenigen bevorzugt, von denen man einen wohltätigen Einfluß auf das Leben der Menschen erwartete. Da kam die Medizin, die mit ihrer Kräuterheillehre und den indischen Yogaübungen alte Überlieferungen mit neuem Wissen verband sowie die Sternkunde, die im Mittelalter des Orients von der Sterndeuterei nie wirklich zu trennen war. Die hohen Kosten, die für die Gründung und den Ausbau der Sternwarte in Maraga durch Nâsireddin Tûsî (Todesjahr 1274) aufgewandt werden sollten, wurden von Hulagu und Abaqa ohne Zögern bewilligt, obwohl man genau wußte, daß es den großen Astronomen an erster Stelle auf die wissenschaftliche Erforschung des Himmelsgewölbes ankam. Das Interesse für Festungsbau, neue Kriegsmaschinen und Waffen war bei den Mongolen sehr groß; Gâzan wurde während seines fünf Jahre dauernden Unterrichts vor allem im Bergbau unterrichtet, und Olcaitu soll als junger Mann im Kriegshandwerk sehr erfahren gewesen sein.

STÄDTEBAU

Die Mongolen hatten zwar viele alte Kulturstätten zerstört, sie aber auch mit großem Eifer wieder aufgebaut. So konnten Städte wie Buchara, Herat, Termes, Gandscha, Nischapur, Bagdad, die während Činggis Khans Kriegszug fast dem Boden gleichgemacht worden waren, unter der Herrschaft seiner Nachfolger wiederhergestellt werden. Karakorum, das einst von den Uighuren gegründet worden war, entwickelte sich zur Zeit der Reichsgründung zu einer blühenden Residenzstadt. Die neue Hauptstadt Sultaniye entstand durch die Bemühungen Arguns und Olcaitus, und obwohl bei ihrer Errichtung Baumeister aus aller Welt beteiligt waren, ist sie doch ein bedeutendes Werk der mongolischen Bautätigkeit im Westen. Zu weiteren Neugründungen kam es auch in China. Zu diesen gehörte vor allem die Stadt Tai-du (Tatu bedeutet großer Hof), die Kubilai Khan neben der Stadt Kambalu (osttürkisch Khanbaligh – Stadt des Khans) erbauen ließ. Der Fluß zwischen der alten und der neuen Stadt ist der Ta-thong-ho, ein Zufluß des Pei-ho. Die beiden Orte sind heute unter dem Namen Peking bekannt. Das gegenwärtige Peking besteht, wie zur Zeit der Mongolen, aus zwei Teilen, die die Form von Rechtecken haben. Der eine, der fast ein Quadrat bildet, ist das einstige Tai-du. Die Beschreibung, die Marco Polo von der Stadt gibt, stimmt in ihren wesentlichen Zügen mit dem heutigen Aussehen des einstigen Mongolenviertels überein: »die neue Stadt ist in Gestalt eines Quadrats angelegt und hat einen Umfang von vierundzwanzig italienischen Meilen, so daß jede Seite nicht mehr und nicht weniger als sechs Meilen lang ist. Sie ist mit Mauern von Erde umgeben, die am Grunde ungefähr zehn Schritt dick sind, aber allmählich nach oben abnehmen, wo die Dicke nicht mehr als drei Schritt beträgt. Diese Mauern sind völlig weiß. Der ganze Plan ist mit großer Regelmäßigkeit angelegt, und die Straßen sind daher im allgemeinen so gerade, daß wenn man durch eines der Tore durch die Mauern kommt und geradeaus sieht, man das entgegengesetzte Tor auf der anderen Seite der Stadt erblickt. An den Straßen sind zu beiden Seiten Buden und Kaufläden der verschiedensten Arten aufgestellt. Alle Grundstücke innerhalb der Stadt, auf denen die Wohnhäuser errichtet sind, haben die Gestalt eines Rechteckes und liegen in gerader Linie nebeneinander, und jeder Besitz bietet hinreichenden Raum für Gebäude mit zugehörigen Höfen und Gärten ... Auf diese Weise ist die ganze Stadt in Vierecke geteilt, so daß sie einem Schachbrett gleicht und ihr Plan eine Regelmäßigkeit und Schönheit zeigt, die unbeschreiblich ist. Der Wall um die Stadt hat zwölf Tore, drei an jeder Geviertseite, und über jedem Tore und in jedem Mauerabschnitt steht ein hübsches Gebäude, so daß auf jeder Seite fünf solcher Gebäude liegen. Sie enthalten große Räume, in denen die Waffen der Stadt aufgestellt sind, und jedes Tor wird von tausend Mann bewacht... Im Mittelpunkt der Stadt hängt an einem Gebäude eine große Glocke, welche jede Nacht angeschlagen wird, und nach dem dritten Glockentone darf niemand mehr auf den Straßen gesehen werden«[91].

Vor jedem Tor lag eine Vorstadt, die so ausgedehnt war, daß sie sich auf beiden Seiten bis zu der Vorstadt des nächsten Tores erstreckte und mit ihr in Verbindung stand, so daß die Zahl der Bewohner in diesen Vorstädten die der inneren Stadt sogar noch überstieg. Hier waren auch viele Geschäfte und Karawansereien, in denen die Kaufleute, die aus verschiedenen Ländern kamen, Unterkunft finden konnten. Ein Haus war den Lombarden, ein anderes den Deutschen und ein drittes den Franzosen zugewiesen. Die Zahl der Prostituierten belief sich, wenn man die in der neuen Stadt und die in den Vorstädten der alten Stadt zusammenrechnet, nach Marco Polo auf 25000[92].

PALÄSTE, LUSTSCHLÖSSER, PARKANLAGEN UND WUNDERWERKE

In Tai-du befinden sich noch heute einige der kaiserlichen Paläste und großen öffentlichen Gebäude aus der Mongolenzeit. Der Großkhan residierte gewöhnlich während der Wintermonate in der großen Stadt Kambalu. Den Palast des Großkhans dort beschreibt Reŝîdeddin, ein Zeitgenosse Marco Polos, folgendermaßen:

»Die Säulen und Fliesen des Palastes sind alle aus gehauenem Stein oder Marmor hergestellt und bieten einen prächtigen Anblick. Vier Mauern umgeben und schützen ihn. Der Abstand der Mauern voneinander ist so groß, daß ein mit Kraft abgeschossener Pfeil gerade darüber hinwegfliegt. Der äußere Hof ist für die Palastwachen bestimmt, der folgende für die Prinzen, welche sich dort jeden Morgen versammeln, der dritte Hof wird von den großen Würdenträgern des Hofes eingenommen, der vierte endlich von den Personen, die zur nächsten Umgebung des Herrschers gehören ...«[93].

Die kaiserlichen Kriegsgeräte wurden in acht großen Gebäuden aufbewahrt, und jedes der Gebäude enthielt eine besondere Art des Rüstzeuges. »So nehmen z. B. die Zäume, Sättel, Steigbügel und anderes Geschirr, das zur Ausrüstung der Reiterei gehört, das eine Zeughaus ein; die Bogen, Sehnen, Köcher, Pfeile und anderes Material, das zum Schießbedarf gehört, sind in einem anderen Hause zu finden; Panzer, Harnische und Waffenstücke aus Leder in einem dritten usw. Die kaiserliche Garderobe befindet sich wiederum in acht großen Gebäuden. Im hinteren Teile des Hauptpalastes befinden sich große Räume, in denen der Schatz des Monarchen, Gold und Silber, kunstvolle Edelsteine und Perlen, sowie alle Gefäße aus Gold und Silber aufbewahrt werden.«

In der Nähe des Palastes lag ein künstlicher Hügel aus Erde. Da er mit den »schönsten immergrünen Bäumen« besetzt war, nannte man ihn den grünen Berg. Die erlesenen Bäume wurden auf Wunsch des Kaisers in verschiedensten Gegenden mit allen Wurzeln und der sie umgebenden Erde ausgegraben und, wie groß sie auch sein mochten, durch Elefanten hierher geschafft und verpflanzt. In der Umgebung soll auch ein Fischteich gewesen sein, der mit Schwänen und anderen Wasservögeln bevölkert war. Auch dieser Teich war künstlich angelegt. Ursprünglich gab es hier kein Wasser, um aber einen Teich zu gewinnen, grub man an diesem Platz eine große tiefe Mulde, die die Erde zur Aufschüttung des Berges hergab.

Der marmorne Palast Kubilai Khans in der von ihm erbauten Stadt Xandu – Xandu, Schang-tu bedeutet Residenz des Herrschers und war die Sommerresidenz der Yuen in Kai-ping-fu – soll einst durch seine großartige Anlage ebenfalls Bewunderung erregt haben. Gerühmt wird der Ort wegen seiner milden Luft und seiner heilkräftigen Quellen. Von dem dortigen königlichen Marstall war bereits ausführlich die Rede. In dem großen Park waren reiche und schöne Wiesen angelegt, die von vielen Bächen bewässert wurden. Es befand sich hier auch ein großes Jagdrevier, in dem es allerlei Wild gab. Mitten in diesen Gärten in einem »anmutigen Haine« ließ Kubilai Khan ein königliches Lustschloß erbauen, das auf schönen vergoldeten und bemalten Säulen ruhte und aus Bambusröhren hergerichtet war. »Das Ganze ist mit solcher Kunst gebaut«, sagt Marco Polo, »daß alle Teile zerlegt, weggeführt und wieder aufgestellt werden könnten, wo es Sr. Majestät gefiel«[94].

Als Rubruk in Karakorum den kaiserlichen Palast besichtigte, bewunderte er am Eingang einen kunstreich gearbeiteten Springbrunnen, den er sehr ausführlich beschreibt. Der Brunnen soll die Form eines großen Baumes aus Silber gehabt haben. Die vier Löwen an dessen Wurzel, gleichfalls aus Silber, spieen weiße Stutenmilch aus. Vier goldene Schlangen wanden sich um den Stamm des Baumes bis zum Gipfel und ließen aus ihren Mäulern vier verschiedene Getränke (Wein, Karakumys, Honig, Reisbier) fließen, die sich in die darunter stehenden Gefäße ergossen. Hoch über dem Baum stand ein Engel mit einer Trompete in der Hand, und der Bildhauer machte unterhalb des Baumes noch einen Hohlraum, in dem ein Mann versteckt gehalten werden konnte. Wenn der oberste Mundschenk rief, mußte dieser Mann mit Blasebalgen Wind machen, um die Trompete zum Tönen zu bringen. Auf dieses Zeichen hin begannen Diener, die Getränke von der Vorratskammer, die außerhalb des Palastes lag, in den Brunnen nachzufüllen. Die Getränke, die dann aus den Schlangenmäulern herausflossen, wurden von den Mundschenken in das königliche Schloß getragen[95].

Dieser Brunnen, der im Auftrage von Mungge Khan von dem französischen Goldschmied Guillaume Buchier hergestellt worden war, hatte zweifellos ähnliche Kunstwerke der morgenländischen Höfe zum Vorbild gehabt. Es wird von einer goldenen Platane am Hofe Darius I. berichtet, und einen legendären Ruhm hatte im ganzen Mittelalter der Thron Suleimans mit einem goldenen Baum. Nach jenem Vorbild wurde ein ähnliches Kunstwerk beim Kalifen Muktadir in Badgad nachgebildet. Der Baum am Hofe Muktadirs soll silbern gewesen sein und im Freien gestanden haben. Seine vergoldeten Äste und Blätter bewegten sich beim leisesten Windhauch hin und her, worauf vergoldete und versilberte Vögel flogen und in den verschiedensten Tönen zwitscherten und sangen. Auch am mongolischen Kaiserhof Sultaniye soll es einen goldenen Baum gegeben haben, der Röhren im Inneren hatte, aus denen sich Getränke aller Art ergossen. Der Brunnen, den Rubruk schildert, wird diesem Kunstwerk sehr ähnlich gewesen sein.

Obwohl die Mongolen die Erben einer großen Maltradition waren, erfahren wir über die Tätigkeit der Maler am mongolischen Hofe recht wenig. Ausführliche Beschreibungen haben wir über die Zeltausstattungen. Die aus dem Tier- und Pflanzenreich entnommenen reichen Motive der Zeltausschmückungen hatten den Charakter einer aus Leder oder Filz hergestellten Flick- oder Klebearbeit. Sich aber aus diesen dekorativen Arbeiten eine Vorstellung über die mongolische Malerei zu machen, ist nicht möglich. Wir lesen bei Rubruk, daß rings um das große Wahlzelt ein mit verschiedenen Bildern bemalter Bretterzaun oder Getäfel errichtet war. Was diese Bilder darstellten und wie sie gemalt waren, wird jedoch nicht erwähnt[96].

In den von den Mongolen besetzten Ländern werden die Chinesen als »geschickteste Meister der Welt in allen Erzeugnissen menschlicher Kunstfertigkeit« gerühmt. Ihr Talent für Malerei war im Orient sprichwörtlich. Ibn Battûta erzählt, wie er mit einem seiner Gefährten in Peking den kaiserlichen Palast besichtigte: Als er abends bei seiner Rückkehr am Markt der Maler vorüberging, sah er sein Bild und das seines Gefährten auf Papier gemalt und an die Wand geklebt. Das soll auf Befehl des Kaisers geschehen sein. Gemäß seiner Anordnung wurde jeder, der durch sein Land reiste, abgebildet. Sollte dieser Fremde wegen eines begangenen Verbrechens fliehen, so wurde sein Bild in allen Provinzen herumgesandt und auf Grund dieses Bildes konnte man ihn finden und festnehmen.

DIE MALEREI DER MONGOLEN

DIE MONGOLEN IM WESTEN

Die Stellung der Mongolen war in den von ihnen besetzten Ländern nicht überall gleich. In China z. B. konnten sie nie heimisch werden. Die Chinesen waren damals das gebildetste Volk der Erde und sie empfanden die Mongolen bis zuletzt als Barbaren. Ihre Spuren wurden getilgt, sobald sie im Jahre 1367 das Land verlassen hatten. In Kiptschak-Rußland war die Bevölkerung des Landes im Gegensatz zu den Chinesen recht primitiv: hier dauerte die Mongolenherrschaft länger. Man hätte erwarten sollen, daß die Mongolen hier auf das Volksleben tiefer eingewirkt hätten und ihre Spuren von dauerhaftem Bestand gewesen wären. Aber das tief religiöse Empfinden der Bevölkerung wurde den Mongolen zum Verhängnis und so konnten sie auch hier keine nennenswerte Wirkung ausüben. Im Westen, d. h. im Iran und in seinen Nachbarländern, lag der Fall anders. Die Mongolen kamen dorthin als Träger einer fremden Kultur. Als sie aber zum Islam übertraten, wurden sie von der einheimischen Bevölkerung nicht mehr als fremde Eroberer empfunden, wie etwa im Ostreich Yuan-China oder in den Ländern der »Goldenen Horde«. Dank dieser Annäherung konnte es nun im Westen zu einer eigenständigen Kulturentfaltung kommen, an der der Anteil des Ostens sehr groß war und zuweilen sogar den des Westens übertraf. Wenn also von einer durch die Mongolen bewirkten Kulturentfaltung gesprochen werden kann, dann nur im Nahen Osten. Wollen wir daher etwas Näheres über die »Mongolische Malerei« erfahren, so müssen wir unsere Aufmerksamkeit zunächst diesem zuwenden.

DIE ISLAMISCHE BUCHMALEREI DER VORMONGOLISCHEN ZEIT

Obwohl die Malerei der vormongolischen Zeit im Nahen Osten als die der Bagdadschule bezeichnet wird, läßt sie sich doch nicht allein auf den Kalifatssitz der Abbasiden lokalisieren, denn sie weist ihre Merkmale nicht nur im Irak auf, sondern auch in Großsyrien, Ägypten und darüber hinaus in weiteren Gebieten zwischen Spanien und Marokko im Westen und der iranischen Hochebene im Osten. In diesem weiten Gebiet lagen mehrere Nationen, die verschiedene Sprachen hatten. Das wesentliche Bindeglied zwischen ihnen war die islamische Religion, und dieser Umstand hatte mehr Gewicht als alle nationalen Eigenarten. Bei der Entstehung der Bagdadschule spielten auch Einflüsse von Byzanz, der manichäisch-uighurischen und nestorianisch-christlichen Kreise eine nicht zu unterschätzende Rolle. Aber sie gingen auf im Schmelztiegel des Islam. Es handelt sich also in der Malerei der Bagdadschule um eine Kunstrichtung, die zwar ein Mischprodukt mannigfaltiger, oft einander entgegengesetzter Einflüsse ist, aber als Erzeugnis der islamischen Zivilisation einen durchaus einheitlichen Stilcharakter trägt.

Nach islamischem Glauben ist Allah im Gegensatz zum Gott des Christentums in einem Jenseits verborgen, in das kein menschliches Auge einzudringen vermag. Die Vorstellung des »verborgenen Gottes« mußte zu einem strengen Verbot, Gott abzubilden, führen[97]. Dieses Verbot wirkte sich in der Praxis so aus, daß die Künstler allgemein eine fromme Scheu vor religiösen Themen empfanden. Eine religiöse Malerei wie die der christlichen Länder des Abendlandes kannte daher der Islam nicht. Der Weg zur Wahrheit führte durch den Koran, die Heilige Schrift. Der Kunst fiel somit eine recht untergeordnete Rolle zu, und es entstand am Rande der geistigen Welt des Islams eine Malkunst, die mehr oder weniger Unterhaltungszwecken diente.

In dieser Richtung entwickelte sich auch die Malerei der Bagdadschule, obwohl sie von religiös-moralisierenden Tendenzen nicht ganz frei war. In der Auswahl der Themen war für diese Malerei die Unterhaltungsliteratur, die sich zu dieser Zeit auch in den nichthöfischen Kreisen einer großen Beliebtheit erfreute, eine unerschöpfliche Quelle. Zu den schönsten Beispielen dieser Literaturgattung gehören »Kalîla und Dimna« (Kelîle wu Dimne) und die »Makamen« des Harîrî. Das erste von diesen Werken ist ein Fabelbuch, das Tiere als Helden hat und seinen Namen nach zwei Schakalen, den Hauptfiguren, trägt. Diesem eigenartigen Werk lag eine alte Sammlung indischer Tiergeschichten zugrunde, die man einem weisen Brahmanen namens Bidpai zuschrieb. Das indische Fabelbuch war als Fürstenspiegel verfaßt und in der islamischen Welt in arabischer und persischer Fassung weit verbreitet; schon von frühislamischer Zeit an wurde es auch illustriert[98]. Die »Makamen« (Maqâmât) des Harîrî wurden von den Gebildeten besonders wegen der genialen Sprachkunst, mit der sie abgefaßt waren, geschätzt. Aber auch die breite Masse hatte ihre Freude daran, besonders an seinem Helden Abû Zayd, der sich als skrupelloser Vagabund durchs Leben schlägt und das Volk durch seine Streiche ergötzt. Er ist, nach Ettinghausen, das literarische Gegenstück zu den etwas späteren »Räubern« (ayyarun), »die in der Mitte des 12. Jahrhunderts in den großen Städten der islamischen Welt, besonders in Bagdad, versuchten, eine nivellierende Form der sozialen Gerechtigkeit auszuüben, indem sie den Besitz ausglichen und den Ordnungsbestrebungen der Behörden entgegenarbeiteten«[99]. Wir wissen nicht, wann die Makamen-Illustrationen zuerst entstanden sind. Ähnliche Themen wie in diesem Werk kommen im Orient häufig in volkstümlichen Puppen- und Schattenspielen vor, und wir dürfen annehmen, daß auch verschiedene Makamen-Manuskripte sehr früh mit Illustrationen versehen worden waren. Die ältesten bekannten Fassungen des Werkes stammen aus der ersten Hälfte des 12. Jahrhunderts. Sie sind mit überaus reichem Bildmaterial ausgestattet[100].

Die Illustrationen zu den »Makamen« und zu »Kalîla und Dimna« dürfen zu den bedeutendsten malerischen Schöpfungen, die die Bagdadschule hervorgebracht hat, gerechnet werden. Außer diesen wären noch die Illustrationen zu den wissenschaftlichen Büchern zu erwähnen. Es handelt sich in dieser Gruppe um philosophische, historische, medizinische und astronomische Bücher, die vom Griechischen ins Arabische übersetzt wurden und unter denen das »Kräuterbuch« des Dioskurides, das »Buch über die Gegengifte« des Pseudogalenos und verschiedene philosophische Aphorismen der griechischen Weisen besonders in wissenschaftlichen Kreisen sehr bekannt waren[101]. Da man, wie bei den byzantinischen Vorlagen, anschauliches Bildmaterial für das Verständnis der behandelten Themen für erforderlich hielt, wurden diese Bücher auch illustriert. Die Illustrationen hatten in erster Linie als Demonstrationsmaterial einen Wert und, obwohl sie auf den Betrachter immer einen künstlerischen Reiz ausüben, können diese Bilder nur im weiteren Sinne als malerische Äußerungen der Bagdadschule verstanden werden.

Aber nicht nur die Themen, auch die Darstellungsweise der Bagdadschule war in hohem Maße von der islamischen Religion her bestimmt. Die Welt, in der wir leben, ist nach der Auffassung des Mohammedaners eine Scheinwelt, die der Vergänglichkeit anheimfällt. War eine solche Welt des Scheins und Trugs für die Kunst überhaupt darstellenswert? Diese Frage stellte den Künstler vor zwei Möglichkeiten: Entweder flüchtete er sich in den Bereich der Phantasie oder aber verwandelte er die wirkliche Welt in eine imaginäre, wodurch sie in seinen Augen erst einen Darstellungswert gewinnen konnte. Im ersten Fall wurde die Kunst ein abstraktes Spiel von Linien und Formen, aus der die naturferne Arabeske entstand. Im zweiten haben wir die Miniaturmalerei vor uns. Die Entmaterialisierung der Natur war zweifellos das auffallendste Stilmerkmal dieser Kunst, die dadurch in die Nähe der Schattenspiele rückte. So wirkt die Bildszenerie in der Malerei der Bagdadschule in der Tat öfters so flach wie eine Schattenspielkulisse, und die Figuren, in charakteristischen Stellungen und Gebärden zueinander in Beziehung gesetzt, erscheinen in festen Umrissen als Silhouettengestalten, die uns ebenfalls an die Figuren der Schattenspiele erinnern. Der Abstraktionsdrang ist für die islamische Kunst so sehr bezeichnend, daß die Illustratoren der Bagdadschule selbst in den aus byzantinischen Vorlagen kopierten Bildern die naturalistisch wiedergegebenen Gewandfalten in die Ornamentik der sogenannten »Kräuselfalten« umformten[102]. Die Darstellungsweise der islamischen Miniaturen ist von allen naturalistischen Malweisen weit entfernt. Sie zeigt keine Abbilder der Natur, sondern Symbole, die auf die Idee der dargestellten Gegenstände hinweisen.

Jedoch kann man in der Entwicklung der islamischen Miniaturmalerei neben einer idealistischen auch von einer realistischen Richtung sprechen. Bei der ersteren führt die Kunst über alle Makel der Welt hinweg in Paradiesgärten, wo Traumprinzen wandeln. Für diese Richtung geben uns die persischen Miniaturen des 16. Jahrhunderts die schönsten Beispiele. Die Kunst der Bagdadschule dagegen ist realistisch; ihre Darstellungsweise nähert sich, wie wir in den Makamen-Illustrationen sehen, öfters der der Karikatur, wobei die menschliche Torheit mit Humor behandelt, zuweilen aber auch schonungslos der Lächerlichkeit preisgegeben wird[103].

DIE ÖSTLICHE BILDTRADITION IM WESTEN UND DIE ENTSTEHUNG DES MONGOLENSTILS

Mit dem Mongoleneinfall kamen nun auch die Bildtraditionen des Ostens nach Westen. Der Einfluß des Ostens machte sich schon vor dem Mongoleneinfall in der Kunst der mesopotamischen Länder hie und da bemerkbar.

Handelte es sich aber bis zu diesem Zeitpunkt nur um eine seit jeher bestehende kulturelle Beziehung zwischen Osten und Westen, so nahm jetzt der östliche Einfluß derart zu, daß die Kunst des Nahen Ostens vollständig in das Fahrwasser der Kunst des Fernen Ostens geriet. Allenthalben tauchten fernöstliche Bildformen auf: Landschaftselemente wie Wolken, Wasser und Berge, die verschiedenartigsten Tiere, der Drache, der Simurgh und andere Fabelwesen, wanderten als östliches Bildgut aus der Heimat der Mongolen nach Westen aus und wurden der Miniaturmalerei des islamischen Orients einverleibt. Die Umorientierung hatte eine ungeahnte Erweiterung der Darstellungsthemen zur Folge. Das Bild war im Osten nicht ein Mittel der Unterhaltung wie in der islamischen Welt. Zu den neuen Errungenschaften der mongolischen Ära gehörten jetzt die Landschaftsmalerei und die bildliche Gestaltung epischer, historischer und religiöser Themen. Die Bereicherung des ikonographischen Gehalts ging Hand in Hand mit einem neuen Bilddenken, das durch die spätantike Bildtradition der zentral- und ostasiatischen Kulturen geprägt, eine neue Einstellung zur Welt erforderte, die für die islamische Kultur der vormongolischen Zeit nicht vorstellbar war. In den Werken dieser Zeit waltet ein anderer Geist als in der islamischen Buchmalerei. Zwar geht es auch jetzt in der Hauptsache um Illustrationen von Handschriften, aber aus ihnen spricht nun eine monumentale Größe, der wir eher in den Wandmalereien Ostturkestans als in der Miniaturmalerei der vormongolischen Zeit begegnen. Die Kunst der mongolischen Zeit ist bestrebt, plastische und räumliche Werte aufzuzeigen, von denen die Bagdadschule nichts wissen wollte. Die Bilder, die wir in diesem Buch wiedergeben, weisen ihrem Stil nach eine Erdgebundenheit und Naturnähe auf, die oft an die Werke der Frührenaissance erinnern. Der neue Stil streift an Grenzen, wo man – wenn auch mit Vorbehalten – von einer »Entdeckung der Natur« sprechen könnte. Im realistischen Geist der mongolischen Zeit scheint der Orient den Weg einer eigenen Renaissance, wenn auch nicht gefunden, so doch geahnt zu haben. Die folgende Zeit jedoch, die mit dem Timuridenstil beginnt, bringt es nicht mehr zu einer organischen Weiterentwicklung der künstlerischen Bestrebungen des 14. Jahrhunderts, die so vielversprechend waren. Es ist vielmehr so, daß diese Bestrebungen an der heftigen Reaktion, die sie in den religiösen Kreisen hervorriefen, scheiterten. Mit den Mongolen gelangt die Kunst des Nahen Ostens bis an die Schwelle der Neuzeit; doch von da an verliert sie sich immer mehr in der arabo-persischen Sackgasse, in der sich so viele hochbegabte Künstler bis zur Erschöpfung in sterilen Überfeinerungen und im Bau künstlicher Paradiese ohne Ausweg verausgabten.

HEROISCHE LIEBE

Illustrationen zur Gedichthandschrift »Warqa und Gulšâh«

Unter den uns bekannten illustrierten Handschriften des Nahen Ostens ist das erste Werk, bei dem wir von einem mongolischen Einfluß sprechen können, die Gedichthandschrift »Warqa und Gulšâh«, deren Entstehungszeit in die seldschukische Periode fällt. Warqa und Gulšâh sind die Namen eines Liebespaares, dessen Geschichte, wie die von Leyla und Mecnun, Kerem und Asli, Yusuf und Suleika, noch heute in den islamischen Ländern lebendig ist. Die Handschrift, die vor kurzem im Topkapu-Museum in Istanbul entdeckt wurde, enthält 71 unversehrte Miniaturen im Breitformat. Dem Werk liegt eine Legende zugrunde, die sich auf die arabischen Stämme zur Zeit des Propheten bezieht. Sie hat sich seit dem 7. Jahrhundert im Orient verbreitet, und wir finden sie sogar, zweifellos

1 Warqa und Gulšâh

2 Zweikampf

über Spanien kommend, auch in der französischen Literatur des Mittelalters unter dem Namen »Floire et Blanchefleur« wieder. Es ist durchaus möglich, daß das Topkapu-Manuskript – wie in seiner Einleitung vermerkt, ein Geschenk an den Sultan Mahmud von Ghazne (998–1030) – die erste Übersetzung von »Warqa und Gulšâh« ins Persische ist. Die Miniaturen sind jedoch nach eindeutigen Stilmerkmalen in der ersten Hälfte des 13. Jahrhunderts vermutlich in Schiraz entstanden. Miniaturen und Schrift stammen höchstwahrscheinlich aus derselben Zeit. Demnach wird es sich in unserem Manuskript um eine spätere Kopie des Originaltextes handeln.

Die Art der Liebe in »Warqa und Gulšâh« ist, im Unterschied zur platonischen, die epische, die auf die früh- und vorislamische arabische Dichtung zurückgeht. In der platonischen Liebe, so wie sie im Symposion beschrieben wurde, suchen sich die Liebenden vergebens. Die Sehnsucht ist hier die Triebkraft, sie gibt den Liebenden Anlaß, ihre Gefühle in übertriebenen Formen auszudrücken, sie flehen und bitten, stöhnen und seufzen, bis sie in Liebesqual abmagern und dahinschwinden. Da in dem sozialen Gefüge des Islam das Leben der Frau von dem des Mannes getrennt ist, konnte die vom griechischen Roman übernommene »platonische Liebe« in der islamischen Dichtung eine weite Verbreitung finden; sie lieferte dem Dichter sogar die einzig legitime Form, in der er die Liebe besingen konnte. Anders ist es in »Warqa und Gulšâh«. Hier leiden die Liebenden nicht nur, sie kämpfen auch um ihr Glück. Melancholische Szenen fehlen zwar auch hier nicht, aber sie sind auf wenige Bilder beschränkt, und in den übrigen Miniaturen kommt es zu heftigen Schlachtenszenen zwischen den arabischen Stämmen, bei denen die beiden Liebenden als Hauptpersonen erscheinen. Es fällt auf, daß die Rolle der Frau in diesen Episoden nicht weniger bedeutend ist als die des Mannes. Gulšâh steht Warqa stets zur Seite, kämpft mit ihm zusammen, und in einer der hier wiedergegebenen Miniaturen sehen wir, wie sie voll ausgerüstet und hoch zu Roß den Hauptrivalen ihres Geliebten in offenem Kampf tötet. *2*

Auch die Miniaturen in »Warqa und Gulšâh« führen uns in die imaginäre Formenwelt der islamischen Miniaturen, in der die Naturwirklichkeit, der materiellen Schwere enthoben, zu abstrakten Bildzeichen einer ornamentalen Gestaltung wird. Eine enge Stilverwandtschaft mit den Miniaturen der Bagdadschule ist hier nicht zu verkennen. Die ornamentalen Pflanzenmotive könnten aus Dioskurides entlehnt sein, und die Tierzeichnungen könnten aus »Kalîla und Dimna« stammen. Diese Kunst steht allen individuellen Verschiedenheiten der Naturformen gleichgültig gegenüber. In den Gestalten mit ihren runden Gesichtern und den vier Zöpfen erkennen wir den seldschukisch-mongolischen Typus wieder, der selbst bei dem Liebespaar keine porträtmäßigen Züge aufweist. Nur die Wiedergabe der Pferde bildet eine Ausnahme. Die Bewegungsmotive variieren hier durch starke Kopf- und Körperwendungen in den mannigfaltigsten Formen, und man erkennt den starken Einfluß einer naturalistischen Bildtradition, die im Fernen Osten zu Hause ist. Jedoch an anderen Stellen der Miniaturen stehen wir wieder vor der Symbolsprache der vormongolischen Zeit. Eine oder zwei Pflanzen stellen einen Garten dar, lange Ärmel bedeuten Trauer, erhobene Arme symbolisieren Panik, ein nackter Oberkörper repräsentiert einen Sklaven. In den Schlachtenszenen beschreibt uns der Maler nicht die Bewegung der Gestalten: er stellt uns eher Bewegungsfiguren vor, immer dieselben, um uns zu sagen: hier wird gekämpft. Ein Reiter neben einem Zelt bedeutet, daß man zu einer Expedition aufbricht. Die Formen sind also nichts anderes als Zeichen, die Malerei ist eine Art Schrift. Der Kundige kann diese Bildschrift ohne Mühe im einzelnen entziffern und die dargestellten Szenen deuten. Um das zu erleichtern, fügt der Illustrator noch schriftliche Erläuterungen zu den einzelnen Bildern hinzu. Die Beschriftungen der Figuren mit ihren Namen stammen allerdings nicht aus der Hand des Malers, sie sind erst später hinzugefügt worden.

Obwohl unsere Miniaturen – ihrer Entstehungszeit wie ihrem abstrakten Stil nach – unter die Werke der vormongolischen Zeit eingereiht werden könnten, weisen sie in der Art der bildlichen Erzählung doch bereits auf mongolischen Einfluß hin. Die Miniaturen der Handschrift verfolgen ziemlich genau die Geschichte der beiden Liebenden. Sie lernen einander in der Schule kennen, müssen sich trennen und werden erst nach ihrem Tode vom Propheten vereinigt. Die ganze Geschichte löst sich in einzelne Gruppen von Szenenbildern auf, die den »Gesängen« der epischen Dichtung gleich von der Liebe und ihren Leiden, von Mannesmut und von Treue erzählen. Bezeichnend für die erzählerische Darstellungsweise ist die wohlüberlegte Reihenfolge der Bilder, in der vorbereitende und retardierende Momente geschaffen und die entscheidenden Wendepunkte markiert werden. Die Höhepunkte werden nach rasch aufeinanderfolgenden, sich gleichsam überstürzenden Szenen des Kampfgewühls erreicht, und die Handlung bricht öfters mit dem Tode der Gegner rasch ab. Hier wird in Bildern erzählt. Es geht also nicht um Illustrationen einzelner Episoden, die mehr oder weniger gleichwertig, wie Perlen auf einer Schnur aneinandergereiht werden könnten. Für eine solche additive Zusammenstellung bieten uns die Werke der Bagdadschule genug Beispiele[104]. In den Miniaturen unserer Handschrift werden dagegen die nacheinanderfolgenden Phasen einer Erzählung wiedergegeben, die sich in einer kunstvoll aufgebauten Streifenkomposition durch das ganze Werk ziehen. Vorbilder für eine solche Darstellungsweise haben wir in der Malerei des Nahen Ostens nicht. Die bildliche Erzählkunst weist, ihrer Herkunft nach, eher auf Zentralasien hin. Tatsächlich schmückten die Künstler Ostturkestans ihre Höhlenkultstätten schon im 7. Jahrhundert mit Wandmalereien, die in übereinandergestellten Friesen die Geschichten (Avadâna) und Vorgeburtsgeschichten (Jâtaka) des Buddha, Legenden und Volksgut darstellten, wobei sie der inneren Logik des Geschehens folgend, möglichst eindringlich auf den Betrachter zu wirken versuchten[105]. Das Bild hatte im Uighurenreiche durchaus die Macht und die Bedeutung des Wortes, und die Malerei wurde hier, nach den uns überlieferten Turfan-Funden zu urteilen, den religiösen Texten mindestens gleichgestellt. Anders war es im Nahen Osten. Hier ist das Bild so sehr vom Wort zurückgedrängt, daß die Ausdrucksmöglichkeiten des einen nicht mit denen des anderen gemessen werden können. Das Erzählen war Sache der Sprache und nicht des Bildes. Die Texte der illustrierten Werke waren zumeist Anekdoten, in denen es mehr auf die Pointe als auf die Erzählung ankam. So feierte in den Makamen-Texten die Sprache ihre Triumphe in einem Feuerwerk von Metaphern, geistreichen Witzen und Anspielungen, wobei dem Illustrator lediglich die Aufgabe zufiel, die Hauptpersonen der einzelnen Makamen, die den Anlaß zu diesen Wortspielen gaben, in ihren Gebärden, Gesichtszügen und Kostümierungen genauestens zu charakterisieren. Vor Themen, die eine epische Darstellungsweise erforderten, verstummte die Bildsprache der Bagdadschule. Die vormongolische Zeit besitzt eine Reihe von literarischen Werken, in denen erzählt wird. Illustriert wurden diese jedoch nicht. Aus den weitverbreiteten Liebesgeschichten der islamischen Dichtung ist »Warqa und Gulšâh« zwar nicht die erste, die illustriert wurde, aber sie ist das erste Werk, in dem der Illustrator die ganze Geschichte auch bildlich wiederzugeben versucht[106]. Das Šâhnâme (Königsbuch) von Firdausî mußte fast dreihundert Jahre warten, bis es zum ersten Mal illustriert wurde. Erst als unter dem Einfluß der mongolischen Eroberer die epische Maltradition des Fernen Ostens auch in den vorderasiatischen Ländern ihre Wirkung auszuüben begann, wagte man sich, wenn auch zögernd, in diese Welt hinein, um dann ihrer Faszination um so stärker und für immer zu erliegen.

HELDENEPOS

Illustrationen zu Firdausîs Šâhnâme

Das Königsbuch, die Ilias der Perser, entstand zu Beginn des 11. Jahrhunderts. Dreißig Jahre arbeitete Firdausî an dem Werk und widmete es Sultan Mahmud von Ghazne, dem »Stifter persischer Dichtung und höherer Kultur«, wie Goethe ihn apostrophierte. In diesem Epos von 60000 Doppelversen sind Geschichte und Legende, offizielle Quellen und volkstümliche Überlieferung eine untrennbare Mischung eingegangen und zur Sage geworden. Der Dichter besingt in seinem Werk drei verschiedene Themenkreise, welche »alle drei als Akte eines gewaltigen Völker-

3 Isfandiyars Kampf mit dem Drachen

4 Isfandiyars Kampf mit dem Simurgh

dramas ineinandergreifen und deren eigentlicher Held das Persien selbst ist«[107]. Der Schwerpunkt der Dichtung liegt zweifellos im Heldenbuch des alten Iran, während das Buch über die Geschichte des Sassaniden und die Sage von Iskandar (d. i. Alexander der Große), der nach seinem Siegeszuge durch Asien in der Phantasie des Orientalen zu einer legendären Figur wird, der Heldensage des Iran untergeordnet bleiben.

Von den erhaltenen illustrierten Königsbüchern, die wir kennen, sind die frühesten auf Anfang des 14. Jahrhunderts zu datieren. Zu diesen gehören auch die in diesem Buch wiedergegebenen Miniaturen, die aus zwei Šâhnâme-Handschriften entnommen sind. Die eine davon ist im Besitz der Saraybibliothek in Istanbul (Hazine 1479); sie ist in Bild und Manuskript vollständig erhalten. Als Entstehungszeit ist – nach dem Kollophon des Werkes – 1330 angegeben. Der Text des anderen Königsbuches ist leider verschollen, und die Bilder sind nur zum Teil auf uns gekommen. Sie befinden sich in einem aus dem Besitz der ehemaligen Preußischen Staatsbibliothek stammenden Saray-Album (Diez A Fol. 71), das zur Zeit im Tübinger Depot liegt, und werden nach den Stileigentümlichkeiten, die sie aufweisen, Anfang des 14. Jahrhunderts vermutlich in Schiras entstanden sein[108].

Eine feste Tradition für Šâhnâme-Illustrationen hatte sich zu dieser Zeit noch nicht ausgebildet, und so dürfen wir annehmen, daß die Meister unserer Miniaturen mehr oder weniger auf ihre eigene »Bilderfindung« angewiesen waren. Starke Anregungen durch das dichterische Werk spielten dabei eine bedeutende Rolle; die Hauptaufgabe des Künstlers bestand in der Übertragung der dichterischen Vorlagen ins Bild. Da es sich bei den vorliegenden Miniaturen um eine der frühesten Königsbuch-Illustrationen handelt, ist man bei der Betrachtung einzelner Blätter mit Recht über die Meisterschaft in der bildlichen Erzählweise erstaunt, die der dichterischen in der Durchformung der Szenen in nichts nachsteht. Bild und Wort sind tatsächlich in unseren Miniaturen so sehr aufeinander abgestimmt, daß die Bezüge nie unklar werden. So erkennt man mühelos, wie Siyâwuš durch den Scheiterhaufen sprengt, wie *7* Isfandiyar mit den Fabeltieren ringt, wie die vier Getreuen des Keykhusrau in den Bergen den Tod finden, wie der *3–5* König Khusrau vor dem Schlosse der schönen Širin erscheint, die ihn von der Burg aus begrüßt, oder wie Bahram Gûr auf der Jagd im Gebirge seinen Meisterschuß tut und einer fliehenden Gazelle mit dem Pfeil den Fuß ans Ohr heftet.

Die Einbildungskraft des Dichters bewegt sich im Šâhnâme in Räumen, in denen Wirkliches und Phantastisches

5 Die vier Getreuen des Keykhusrau

ineinander übergehen. Die Helden des Königsbuches sind Giganten, die mit außerordentlichen Kräften ausgestattet sind und sich in ihren Wundertaten mit Ungeheuern und Dämonen messen. Das Ungeheuerliche und Phantastische der poetischen Vision überträgt sich auf das Bild. Die Heldengestalten des Königsbuches in der Saraybibliothek entbehren tatsächlich jeder individuellen Charakterisierung. Sie unterscheiden sich nicht etwa durch porträthafte Züge, sondern lediglich durch einige abstrakte Kennzeichen, die sterotyp wiederholt werden. Sie werden dadurch zu abstrakten Bildzeichen, die zu deuten der Phantasie überlassen bleibt und die dadurch eine ungeahnte suggestive Kraft auf den Betrachter ausüben. Aber auch die Welt, in der diese Gestalten sich bewegen, ist so unwirklich wie nur möglich. Die Landschaft der Miniaturen gibt nicht ein Stück Erdenraum wieder – es ist ein mythischer Raum, unbegrenzt und unerfaßbar, der nur dem Šâhnâme angehört. Mit der Wirklichkeit, wie wir sie kennen, hat diese Welt nichts mehr oder nur noch in Ansätzen etwas zu tun. Ihr gehören Märchengestalten und Fabelwesen wie Simurgh und der Drache, der Diw Akwan und die Peris an – Geschöpfe der Phantasie, durch die die Naturformen nur noch als vage Reminiszenzen durchschimmern.

Die Formsprache der Šâhnâme-Illustrationen der Saraybibliothek ist eine Symbolsprache, die einen engen Bezug zum Ornament aufweist. So besteht das Landschaftsbild hier aus einigen abstrakt wiedergegebenen Pflanzenmotiven
5 oder aus schematisch angedeuteten Bergkegeln, die in unwahrscheinlichen Farben gemalt wie ein Ornament
3, 4 wirken. Die Bildformen der Fabeltiere gehören zu den Prachtmotiven dieser Ornamentik; aber auch die Gestalten der Helden sind Abwandlungen eines ornamentalen Hauptmotivs, zu dessen Elementen die stilisierte Blumen-
5 musterung des Kleides, das Flechtwerk des Panzers oder das maskenhaft erstarrte Gesicht gehören. Auffallend ist dabei, daß trotz dieses deutlich erkennbaren Zugs zur ornamentalen Durchformung des Bildganzen das Bild selbst nicht zur bloßen Schmuckform wird. Der »Sinn« des Bildes dominiert in jedem Fall, nie hören die Bildzeichen auf, etwas zu »bedeuten«. Ihre Nähe zum Ornament erlaubt vielmehr eine Sinnfülle, die über die einer naturalistisch dargestellten Szene oder Szenerie weit hinausgeht; es ist höchste Verdichtung des in der Textvorlage Ausgeführten.

Die Šâhnâme-Illustrationen aus der Berliner Sammlung sind dagegen in einem für diese Zeit überraschenden
6 Naturalismus gemalt. In »Rustams Geburt« haben wir ein besonders überzeugendes Beispiel dafür. Die Geburtsszene

6 Rustams Geburt

7 Die Feuerprobe des Prinzen Siyawuš

als Darstellungsthema war für die Kunst des Nahen Ostens nicht ganz ungewöhnlich. Schon in der Schefer-Harîrî aus dem Jahre 1237 (Paris, Nationalbibliothek, MS. Arabe 5847, Folio 122 verso) ist eine ähnliche Szene enthalten, in der die Hauptperson der Handlung mit einem fast unerbittlichen Realismus dargestellt wird[109]. Die Darstellungsweise ist jedoch hier und dort verschieden. Das Blatt der Schefer-Harîrî ist im abstrakten Stil der vormongolischen Zeit ausgeführt. Die Wiedergabe unserer Miniatur ist dagegen naturalistisch. Die entblößten Teile der in Geburtswehen liegenden Frau werden durch Halbtöne und weiche Linien sehr plastisch geformt und man merkt, daß der Illustrator den Bau des menschlichen Körpers genau kennt. Auch die Kräuselfalten der Schefer-Harîrî werden hier ersetzt durch naturalistische Gewandfalten, deren Kurven sich genau der Gliederung des Körperbaus anpassen. Eine Art aquarellhafter Schattierung der Farben unterstützt hier die lineare Modellierung, so daß selbst die schematisch angedeutete Bodenformation greifbare Stofflichkeit gewinnt.

Die Miniaturen des Berliner Albums bezeugen, daß bereits am Anfang des 14. Jahrhunderts neben dem abstrakten auch von einem naturalistischen Stil gesprochen werden kann. In der Folgezeit gewinnen naturalistische Bestrebungen die Oberhand, und die erzählende Darstellungsweise der frühen Šâhnâme-Illustrationen beginnt allmählich von einer beschreibenden abgelöst zu werden. Das berühmte Demotte-Šâhnâme (1340) mit seinen 58 erhaltenen Miniaturen in Großformat erscheint in dieser Entwicklung als ein Werk der Übergangszeit[109]. Die epische Darstellung erreicht hier ihren Höhepunkt, obwohl in der Wiedergabe der Figuren, ihrer Trachten und der Bildszenerie auch der Beschreibung ein weites Feld eingeräumt wird. Die Šâhnâme-Illustrationen des Topkapu-Museums aus dem Jahre 1370[110] haben dagegen einen ausgesprochen beschreibenden Charakter, die Erzählung gibt hier den Anlaß *50* zu einer sehr ausführlichen Schilderung der landschaftlichen Umgebung, die die Gestalten in einer ungewohnten Weise in ihren Bereich zieht. Mit der Timuridenzeit beginnt in der Stilentwicklung der Šâhnâme-Illustrationen eine neue Phase, die wir die dekorative nennen wollen. Obwohl die Kompositionsvorlagen noch immer die alten sind, werden die ursprünglichen Bildformen jetzt zu dekorativen Schmuckmotiven verwandelt[111]. Die schöpferischen Kräfte beginnen in diesem Spiel der Formen und Farben zu erlahmen; die Folgezeit bringt nichts Neues mehr, so daß von einer organischen Stilentwicklung in den Šâhnâme-Illustrationen im 15. und 16. Jahrhundert kaum noch gesprochen werden kann.

KRIEGSBILDER

Illustrationen zu Rešîdeddins Weltchronik

Um 1300 schrieb Rešîdeddin, Wezir der Mongolenherrscher Gâzan und Ulcaitu, seine großangelegte Weltchronik (Câmi'et-tewârih), die er mit reichem Bildmaterial illustrieren ließ. Dargestellt wurden hauptsächlich biblische Legenden und Episoden aus der islamischen und chinesischen Geschichte, wobei diejenigen aus dem Leben Buddhas und Mohammeds eine besondere Beachtung verdienen. Die illustrierten Teile des Werkes befinden sich heute in Edinburgh (U.B.N. 20; datiert 1307), in London (Royal asiatic society; Nr. 59 Fol.; datiert 1314) und in Istanbul (Topkapu Sarayi Müzesi; datiert 1314). Die Istanbuler Ausgabe befindet sich in dem von Hâfiz-i Abrû 1425 zusammengestellten historischen Werk »Macma'et-tewârih« (Hazine 1653, 1654). Dazu gesellten sich inzwischen noch 46 Miniaturen aus den Berliner Sammelbänden (Diez A Fol. 70–72), die stilistisch eine enge Verwandtschaft mit den Bildern der uns bekannten Teile der Universalgeschichte Rešîdeddins aufweisen und höchstwahrscheinlich Illustrationen zu einem verschollenen Teil dieses Werkes sind, in dem, nach den behandelten Themen zu urteilen, vermutlich die Geschichte der Mongolen dargelegt wurde[112].

Der Stil der Câmi'et-tewârih-Illustrationen wird nach der herkömmlichen kunsthistorischen Terminologie als *8-10* chinesisch-mongolisch bezeichnet. Diese Bezeichnung besagt, daß es sich um Werke handelt, die im Gegensatz zu den »seldschukisch-mongolischen« stark der fernöstlichen Kunst verpflichtet sind, und bei denen der Anteil des Nahen Ostens kaum noch spürbar ist. Die formale Charakteristik dieses Stils beruht darin, daß die Linie zu einem Kunstmittel ersten Ranges erhoben wird. Die Bilder dieser Gruppe sind mit Pinsel direkt auf das Papier gezeichnet, dann leicht getönt, wobei Deckfarben vermieden werden. Sie erwecken häufig den Eindruck einer monochromen Zeichnung. Das sind sie aber nicht immer. Es gibt unter diesen Illustrationen farbenfreudigere Blätter, bei denen die Farbskala stark differenziert und kontrastreich erscheint. Jedoch kommt der Farbe eine andere Bedeutung zu als in der seldschukisch-mongolischen Miniaturmalerei. In ihr sind Bilder und Farbe nicht voneinander zu trennen: die Farbe wird von den Miniaturen aufgesogen und gleichsam absorbiert. In unseren Blättern dagegen kommt sie in konturierten, einzelnen Farbflecken zur Geltung und wird lediglich als Effektmittel gebraucht, um die Wirkung der Zeichnung noch zu erhöhen. Sie ist hier der Linie nicht gleichgestellt oder gar übergeordnet, sondern ihr unterstellt. Die Bilder dieser Blätter stehen in Stil und Ausführung der graphischen Kunst näher als den Miniaturen, und daher wäre es nicht falsch, sie als kolorierte graphische Werke zu betrachten[113].

Der neue Realismus der Mongolen, der der naturalistischen Bildtradition des Ostens stark verpflichtet war, konnte in den Illustrationen der Weltchronik – die im Rahmen eines Geschichtswerkes eher den Charakter eines Bilddokuments erhalten sollte – besser zur Geltung kommen als im Šâhnâme. Neu war für die damalige Zeit, daß die Linie, die doch in der islamischen wie in der christlichen Kunst des Mittelalters ein Abstraktionsmittel war, um den Körper in eine Fläche zu bannen, jetzt durch ein feinfühliges An- und Abschwellen eine plastische Modellierung bewirkt. Zu dieser Modellierung trägt auch die Schattierung sehr viel bei, die die Fläche, vor allem in den kurvenreichen Faltenwürfen der Kleider, in kurzen Abständen vom Harten ins Weiche, vom Dunklen ins Helle übergehen läßt. Dank diesem Spiel der Schatten, das sich stets dem Verlaufe der Zeichnung anpaßt, konnte der Künstler

8 Die Eroberung einer Stadt

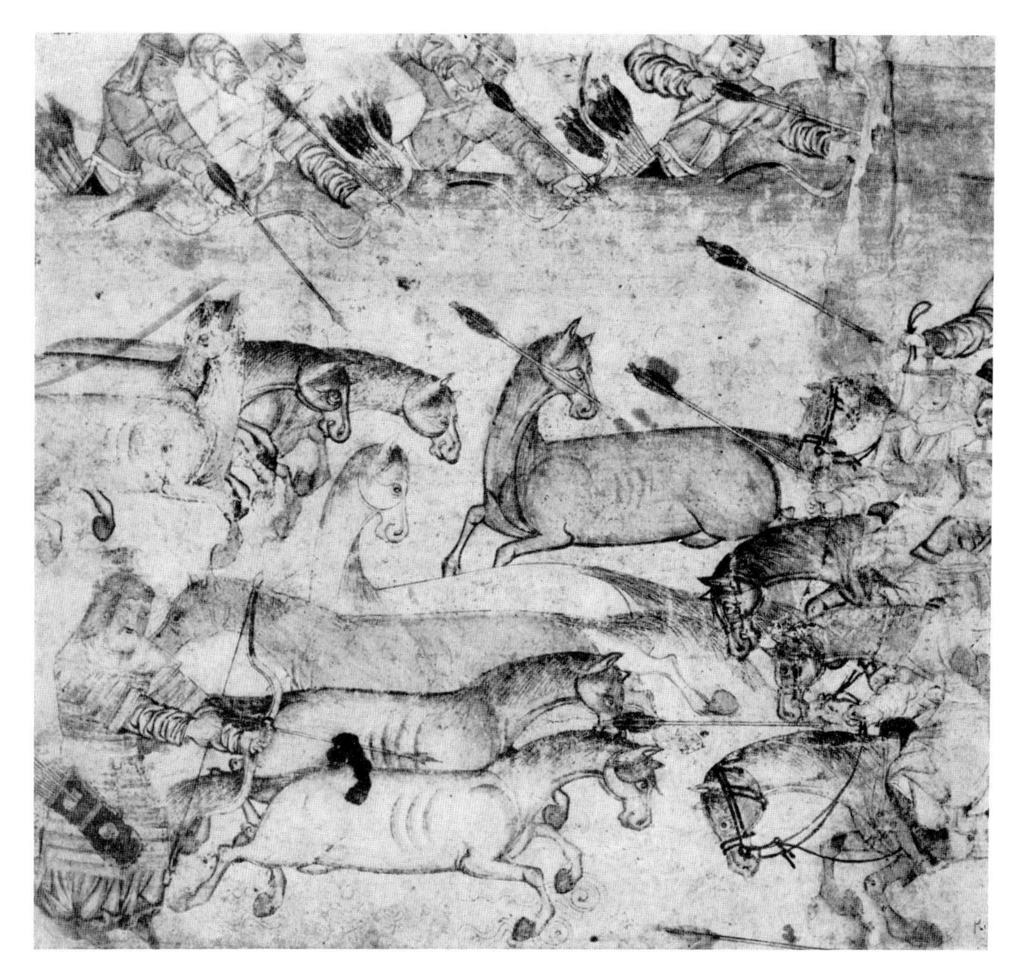

9 Gehetzte Pferde

10 Reiterverfolgung

beim Betrachter ein starkes Volumempfinden, das man im Nahen Osten bis zur Mongolenzeit nicht kannte, wecken. Von den Illustrationen zur Weltchronik sind die in den Berliner Sammelbänden enthaltenen die am wenigsten bekannten. Der Darstellungskreis dieser Blätter umfaßt zum großen Teil Kriegszenen, dann auch Hofzeremonien, bei denen der Herrscher oder das Herrscherpaar inmitten seines Hofstaates erscheint, und endlich einige Darstellungen aus den Prophetenlegenden. Ihrem formalen Aufbau nach weisen die Hofzeremonien auf ein Kompositionsschema hin, das sich später durchgesetzt hat und dann in ähnlichen Hofszenen allgemeine Verwendung fand. In den viel späteren Câmi'et-tewârih-Handschriften der Bibliothèque Nationale (Suppl. Pers. 1113) und der Asiatic Society of Bengal (No. D 31), in denen – wie in dem Târîh-i Gâzan Han von Rešîdeddin – die Geschichte der Mongolen behandelt wird, sehen wir eine Reihe solcher Szenen. In den Schlachtenbildern haben wir die bewegtesten Szenen unserer Gruppe. In eiserne Panzer hineingepreßte Krieger, Reiter mit tief zwischen die Schultern eingezogenen Köpfen auf »fliegenden Pferden« bilden unter sich zusammengeballte Gruppen, die diagonal angeordnet und häufig wie Streumuster auf der Fläche verteilt, den Bildrahmen zu sprengen drohen. In diesen Blättern drückt sich eine im Tumult entfesselte Kraft aus, die den Eindruck einer unbezwingbaren elementaren Macht erweckt. Die Bildkomposition dieser Darstellungen entwickelt sich in einer bestimmten Richtung. Die besten Beispiele dafür geben die Verfolgungsszenen. Kommt es zu einem antithetischen Aufbau des Bildes, so nur deshalb, um durch den Gegensatz der Richtungen den Bewegungseffekt zu verstärken, wofür wir ein einmaliges Beispiel haben. *10* *9*

Im Gegensatz zu den Šâhnâme-Illustrationen tragen die Kriegsbilder der Weltchronik den Charakter von Massenszenen, in denen das einzelne kaum zur Geltung kommt. Nur der Fürst oder der Feldherr bilden eine Ausnahme. Die anderen sind Glieder eines Ganzen, sie erscheinen in Gruppen und handeln in Gruppen wie *ein* Mann auf Befehl. Es geht in diesen Bildern nicht um die Darstellung eines Geschehens, bei dem die Personen aus eigenem Willen heraus agieren können. Die Figuren gleichen hier eher Marionetten, deren Bewegungen nur auf einige Motive, wie das des Fliehens, des Angreifens, des Verfolgens oder der Kampfhaltung der Bogenschützen usw. beschränkt bleiben, aber in Gruppen ausgeführt, eine erstaunliche Suggestionskraft auf den Bildbetrachter ausüben. *8*

HERRSCHERBILD ALS MACHTSYMBOL

In einem der berühmten Saray-Alben des Topkapu-Museums in Istanbul befindet sich das Bild eines mongolischen Herrschers, das seinem ikonographischen Gehalt wie der künstlerischen Qualität nach besondere Beachtung verdient. Das Bild nimmt zwei nebeneinanderstehende volle Seiten in Anspruch. Auf der rechten Seite ist der Fürst in zeremonieller Haltung inmitten seines Hofstaates dargestellt. Er sitzt, den Rauschtrankbecher in der Hand, auf einem mit fernöstlichem Blatt- und Blumenwerk verzierten goldenen Prunkthron, dessen Rückenlehne durch zwei freistehende Drachenköpfe mit aufgesperrtem Rachen geschmückt ist. Die Gestalt des Fürsten, die in strenger Vorderansicht das ganze Bild beherrscht, überragt die ihn Umgebenden. Zwei Figuren jedoch unterscheiden sich von den anderen durch ihre Größe; sie nehmen an beiden Seiten des Thrones ihren Platz ein. Nach der Beschreibung eines mongolischen Kurultays (feierliche Audienz), die uns Marco Polo in seinen Reiseberichten gibt, wird es sich bei der Frauengestalt um die Mutter oder Gattin handeln, während die andere Figur an der rechten Seite des Thronsitzes der Kronprinz oder ein hoher Würdenträger sein kann. Die Betonung der mittleren Figurenreihe führt zu einer Dreiteilung der gesamten Bildfläche. Auf dem oberen Teil des Bildes halten zwei geflügelte Genien Schärpen und zwischen den dicht gedrängten Scharen der Höflinge zwei Männer Schwert und Blumenstrauß über das Haupt des Herrschers, das mit einem doppelrangigen Nimbus verziert ist. Im unteren Teil des Bildes ist eine Gastmahlszene dargestellt, bei der Musikanten, die verschiedene Instrumente spielen, und Tänzer für Unterhaltung sorgen. *11*

11 Ein thronender Herrscher

12 Gayumart, der erste König, in den Bergen

S. 95 Auf der gegenüberliegenden linken Seite ist ein Triumphzug dargestellt, an dem in zwei übereinandergestellten Streifen Reiter mit Beizfalken, halbnackte Jünglinge, verschiedene Tiere und Fabelwesen – darunter ein geflügeltes Einhorn – als Huldigende teilnehmen. Der Triumphzug ist auf den König ausgerichtet, wodurch auch der sinngemäße Zusammenhang zwischen beiden Blättern hergestellt wird.

Nach ähnlichen Darstellungen zu schließen, wird es sich bei diesen Bildern um die Titelblätter einer Handschrift handeln[114]. Die Handschrift, zu der die Bilder einst gehörten, ist verschollen; da die Bilder auch keine Beschriftung enthalten, wissen wir nicht, wer hier dargestellt ist. Aber selbst wenn wir es wüßten, wäre die Identifikation nicht im wörtlichen Sinne zu verstehen. Denn um die Porträtähnlichkeit des Dargestellten war man in solchen Bildern recht wenig bemüht. Im Hinblick auf die türkischen Machthaber des Nahen Ostens hatte sich in der Malerei ein mongolischer Herrschertypus mit Schlitzaugen und rundem Gesicht ausgebildet, den die Künstler in ihren Bildern jedem Fürsten wie eine Maske anlegten. Auch der Meister unseres Herrscherbildes sieht in seinem Fürsten nicht den Menschen von Fleisch und Blut, sondern den Träger der königlichen Herrschermacht, der in seinem vollen Glanze nur als Sinnbild wiedergegeben wird. Was wir also hier vor uns haben, ist ein Machtsymbol, worauf auch die verschiedensten Hoheitszeichen, wie der Triumphzug, der Thronsitz, die Aureole, die den Herrscher krönenden Engelgestalten, die Waffen und sogar die Gastmahlszene und der Kelch in der königlichen Hand hinweisen. In letzteren findet zwar das ungezügelte Wohlleben am Hofe seinen sinnbildlichen Ausdruck, doch für den Orientalen gehörten Lebensgenuß und Prachtliebe zu den königlichen Vorrechten, die vom Machtbegriff nicht zu trennen sind.

Obwohl unsere Blätter in die Tradition der Herrscherbilder des Nahen Ostens einzureihen sind, haben wir in ihnen ein Bravourstück der mongolischen Malerei um 1300 vor uns; an ihnen kann man erkennen, was die Kunst des Nahen Ostens den mongolischen Eroberern verdankte. Die spätantike Bildtradition der Innerasiatischen Wandmalereien Turkestans ist in ihrer ganzen Größe gegenwärtig. Im starren, von der heraldischen Symmetrie der altsassanidischen Kunst bestimmten Kompositionsschema atmet hier alles neues Leben. Nur an den Kräuselfalten des reichverzierten Herrschergewandes erkennt man noch ein Stilelement, das an die alte Bagdadschule erinnert. Die Wiedergabe der Menschen und Tiere dagegen zeugt von einer echten Natürlichkeit, die der vormongolischen Zeit unbekannt war. Innerasiatisch ist die streifenmäßige Verteilung der mit verstreuten Blumen geschmückten Bildfläche wie auch die von Rot und Gelb beherrschte, fast monochrome Farbgebung; eine eingehende Untersuchung würde zeigen, daß auch die ikonographischen Motive zum großen Teil aus der Wandmalerei des einstigen Uighurenreiches stammen, wie man aus den sehr verschiedenen Formen der Kopfbedeckungen und aus dem königlichen Helm, der wie eine Glockenblume aussieht und uns in dieser Form schon in den innerasiatischen Turfan-Malereien aus dem 7. Jahrhundert begegnet, ersehen kann.

Der realistische Sinn der Mongolen hatte nun für viele dieser Hoheitszeichen oder Machtattribute, die vom Herrscherbild des Nahen Ostens nicht zu trennen waren, kein Verständnis, und so verloren diese gegen Mitte des 14. Jahrhunderts ihre Bedeutung oder verschwanden überhaupt. Es entstand ein neues Herrscherbild, wofür wir in einem anderen Sammelalbum der Saraybibliothek ein schönes Beispiel haben. Dieses Bild stammt aus einem ver-
12 schollenen Königsbuch und stellt Gayumart, den ersten König, in den Bergen dar. Das Repräsentationsbild verwandelt sich also hier in die Szene einer Erzählung, in der über Taten der Helden berichtet wird. Zwar hält der Künstler noch immer am ursprünglich symmetrischen Kompositionsschema der nahöstlichen Herrscherbilder fest, aber die ganze Szene ist hier dem abstrakten, in Gold funkelnden Bildgrund entzogen und in eine naturalistisch wiedergegebene Landschaft gelegt, in der eine nischenartige Aushöhlung am Stamm eines mächtigen Baumstumpfes dem König als Thronsitz dient. Das Repräsentationsbild erinnert hier eher an die Darstellung einer königlichen

Jagdpartie. Die Gesichter, Körperhaltungen und Gebärden der Figuren sind untereinander recht verschieden, und die Gruppe wirkt in der ungewöhnlich und grotesk anmutenden Kostümierung wie eine Parodie auf das einstige Herrscherbild des Nahen Ostens. Die einzigen ikonographischen Elemente, die hier als Macht- oder vielmehr als Kraftsymbole ausgelegt werden können, sind außer den aus Pantherfell bestehenden Überröcken des Herrschers und seiner Begleiter die furchterregenden Tiere zu ihren Füßen, die allerdings in heraldischer Anordnung auch in manchen vormongolischen Herrscherbildern zu sehen waren.

ILLUSTRATIONEN ZU DEN WERKEN DER UNTERHALTUNGSLITERATUR

Bis zur Mongolenzeit waren in China und Persien die führenden Schichten auch die Träger des Bildungswesens. Nach der Reichsgründung wurde es anders: in den besetzten Ländern hatten die bis zu diesem Zeitpunkt herrschenden Klassen ihre Bedeutung verloren und es kam überall – deutlicher in Persien als in China – zu einer Popularisierung des Kulturlebens. Als eine der Folgen dieser Umstellung sehen wir, daß die Volkssprache die Stelle der schwierigen Schriftsprache zu ersetzen beginnt, und es entwickelt sich eine Unterhaltungsliteratur, die neben der hohen Dichtung immer mehr an Bedeutung gewinnt. Zu den Werken dieser Literaturgattung gehörten die »Abenteuer-

13 Besuch beim Eremiten

14 Die sieben Schläfer

romane« und die »Seefahrergeschichten«, die mit reichem Bildmaterial ausgestattet wurden. Aus diesen Illustrationen geben wir hier zwei Bilder wieder; von denen das eine einen Mann unter Affen, das andere einen Streit in einem Boot darstellt. Diese Miniaturen beziehen sich auf zwei Erzählungen; weitere Episoden derselben Erzählungen befinden sich in Istanbul und in Tübingen[115]. Sie zeigen alle die Vorliebe jener Zeit für derbe Raufereiszenen und seltsame Abenteuer, die mitunter ans Obszöne (Diez A Fol. 71, S. 12) grenzen.

15, 16

Die arabische Literatur bot den Illustratoren für ihre Gestaltungen reichlich Stoff an phantastischen Themen. Man denke hier an »Die Wunder der Schöpfung« von Qazwînî oder an Sindbads Reisen in »Tausendundeiner Nacht«. Vermutlich schöpften die Illustratoren der Unterhaltungsliteratur ihre Darstellungsthemen zum großen Teil aus ähnlichen Werken. Im Mongolenstil ausgeführte Harîrî-Darstellungen sind uns nicht bekannt. Dagegen zeigen die »Kalîla und Dimna«-Illustrationen der Universitätsbibliothek Istanbul aus dem Jahre 1370, daß die Tierfabeln die mongolische Zeit überlebten. Das Liebesthema erfreute sich einer großen Beliebtheit; die uns bekannten frühesten »Husrau und Širin«-Darstellungen stammen aus dieser Zeit (Diez A Fol. 71, S. 6). Unter den religiösen Themen hatten die Mongolen an der Legende der »Sieben Schläfer« ihre Freude. Das Leben der Potentaten, die Vergnügungen am Hofe, Gartenszenen, Jagd und Spiel, Audienzen und Besuche der Fürsten müssen nach den uns überlieferten Illustrationen nach wie vor im Mittelpunkt des allgemeinen Interesses gestanden haben. Aus

17, 18 *14*

15 Der Mann unter den Affen

13 diesem Umkreis stammt das Bild, das eine der frühesten Darstellungen des »Besuchs beim Eremiten« wiedergibt (Mitte des 14. Jahrhunderts), ein Thema, das später zum Allgemeingut der Miniaturmalerei werden sollte. Eine unerschöpfliche Quelle für solche Themen hatte man in den orientalischen Fassungen des Alexanderromans, der bekanntlich auch im Iskandarname, einem der fünf (Khamsa) episch-romantischen Kunstwerke Nizâmîs, seine metrische Bearbeitung gefunden hatte. Wir besitzen in den Saray-Alben der Berliner und Istanbuler Sammlungen außer diesen Darstellungen noch eine Fülle von Šâhnâme-Illustrationen, die einen ziemlich provienziell-volkstümlichen Stil aufweisen. Die Šâhnâme-Handschriften, die mit diesen Bildern einst ausgestattet waren, haben sicher den Charakter von Volksausgaben gehabt. Die minderwertige Qualität und die große Anzahl weisen auf Serienerzeugnisse hin, die höchstwahrscheinlich in den zu diesem Zweck hergerichteten Werkstätten produziert wurden[116].

Die Wendung zum Naturalismus, die wir im 14. Jahrhundert überall im Kunstleben des Nahen Ostens beobachten, macht sich in all diesen Illustrationen sehr stark bemerkbar. Der dekorative Flächenstil der islamischen Miniaturmalerei scheint in diesem Naturalismus fast überwunden. Die landschaftliche Umgebung ist nicht mehr nur Kulisse, sondern wirklicher Raum, der Weite und Tiefe besitzt und in dem die Figuren frei und ungezwungen stehen und sich bewegen. Die Qualität dieser Darstellungen war im ganzen gesehen nicht überragend. Durch diese Illustrationen wurde der Mongolenstil überall bekannt und konnte sich selbst in den entlegensten Provinzen durchsetzen.

16 Streit im Boot

17 Der Kampf zwischen den Krähen und den Eulen

18 Der Esel und der Schakal

RELIGIÖSE MALEREI UND FRÜHE HIMMELFAHRTSDARSTELLUNGEN

Meister Ahmed Mûsa

In der zentralasiatischen Heimat der Mongolen war die Malerei, wie aus den Wandbildern Ostturkestans hervorgeht, tief im Religiösen verankert und hatte somit sakrale Bedeutung. Als die Mongolen nach Westen kamen, fanden sie dort eine Malerei vor, die durch eine unüberbrückbare Kluft vom Religiösen geschieden war. Diese Scheidung war durch die islamische Religion bedingt. Die bildliche Personifizierung Gottes widersprach so sehr dem abstrakten Gottesbegriff dieser Religion, daß sich die Künstler in den islamischen Ländern an religiöse Themen nicht heranwagten. Als die Mongolen den Islam annahmen, änderte sich das. Das religiöse Verbot beschränkte sich jetzt nur mehr auf die Darstellung Gottes. Dagegen wurden religiöse Themen, ungeachtet der frommen Scheu, die man ihrer bildlichen Gestaltung in den sunnitischen Kreisen entgegenbrachte, in das Repertoire der Künstler übernommen. So entstand eine religiöse Malerei auch in den islamischen Ländern des Westens.

Illustriert wurden die religiösen Themen zunächst im Rahmen der Geschichtswerke. So enthält etwa Rešîdeddins Weltchronik eine reiche Sammlung von religiösen Bildern. Allmählich wuchs aber das Interesse an solchen Bildern so sehr, daß auch religiöse Texte, die der Erbauung der Mohammedaner dienen sollten, illustriert wurden. Zu den wichtigsten Texten dieser Art gehörten die Prophetenbiographien (Qisas el-enbiya) und die Geschichte der Himmelsreise Mohammeds (Mi'racnâme). Aus dem 15. und 16. Jahrhundert besitzen wir eine reiche Anzahl von solchen illustrierten Manuskripten. Jedoch aus der Mongolenzeit ist uns sehr wenig erhalten geblieben. Zu erwähnen wären unter diesen raren Werken an erster Stelle die Himmelfahrtsdarstellungen in einem der Saray-Alben (Hazine 2154) im Topkapu-Museum. Es handelt sich in diesen Darstellungen um eine Reihe von Miniaturen in Großformat, die dem Meister Ahmed Mûsa zugeschrieben sind. Ettinghausen setzt die Entstehungszeit dieser Blätter in das zweite *19-24* Viertel des 14. Jahrhunderts. Nach dieser Datierung haben wir in jenen Miniaturen die älteste Fassung der uns bekannten Himmelfahrtsdarstellungen vor uns.

Der Sammelband enthält außer diesen Darstellungen noch andere Werke und einen bemerkenswerten Kommentar von Dust Mohammed, einem bekannten Chronisten aus dem 16. Jahrhundert. Dust Mohammed gibt hier, nachdem er über die Vorgeschichte der Malerei in Persien ein legendäres Bild entwirft, einen überzeugenden Überblick über die Malschulen von den letzten Ilkhanen bis zu den Calairiden. In diesem Zusammenhang erfahren wir auch, wer Ahmed Mûsa war. Nach Dust Mohammed war er es, der zur Zeit Abû Sa'îds (1317–1335) »den Schleier vom Angesicht der Malerei hob und die neue Malerei erfand«. Unter den Werken des Meisters[117] erwähnt Dust Mohammed auch ein Mi'racnâme, das Mewlânâ Abdullah kopierte. Haben wir in unseren Himmelfahrtsdarstellungen etwa diese von Dust Mohammed erwähnten Illustrationen zum Mi'racnâme vor uns? Handelt es sich in den Miniaturen des Saray-Albums um authentische Werke des Meisters Ahmed Mûsa, der als Erfinder der neuen Malerei in Persien gepriesen wird? Nach der Entstehungszeit der Blätter, die uns Ettinghausen gibt, ist dies nicht ausgeschlossen. Aber Beweise haben wir leider nicht. Illustrierte Handschriften enthalten gewöhnlich auch einen Hinweis über die Meister, von denen die Bilder stammen. Die Handschrift aber, die zu unseren Miniaturen gehört hat, existiert heute nicht mehr. Zwar enthalten einige der uns erhaltenen Miniaturen eine Beschriftung, nach der es sich um »Werke des Meisters Ahmed Mûsa« handelt, aber solche Zuschreibungen auf berühmte Meisternamen sind im Orient gang und gäbe, und die Glaubwürdigkeit dieser Inschriften kann mit Recht bezweifelt werden. Daß Dust Mohammeds Kommentar und die erwähnten Himmelfahrtsdarstellungen in ein und demselben Band vorkommen, könnte vielleicht als Grund für die Richtigkeit jener Zuschreibung aufgefaßt werden. Bei der Herstellung der Sammelbände, die als Muraqqaa (also Flick- oder Klebearbeit) bezeichnet wurden, verfolgte man aber kein sachliches Ordnungsprinzip, und es wäre leicht möglich, daß dieses Zusammentreffen nur ein Zufall ist.

Der verlorene Text, zu dem unsere Miniaturen einst gehörten, dürfte an manchen Punkten von den uns bekannten Himmelfahrtsmanuskripten abgewichen sein. So sehen wir etwa in unseren Bildern, wie der Prophet vom *21, 22* Erzengel Gabriel über Gewässer und Berge getragen wird, obwohl er nach der herkömmlichen Überlieferung seine Reise unter Führung des Erzengels auf dem Rücken des Fabeltieres Burak unternimmt. *24*

20 Auch die Szene mit dem himmlischen Hahn ist recht ungewöhnlich. Dargestellt ist hier die riesengroße Gestalt eines Hahns, der weißschimmernd auf verdunkeltem Silbergrund auf einem hohen Sockel thront. Vor dem Thron beten in dicht gedrängten Reihen andächtig die Engel. Daß dem Hahn in diesem Bild eine göttliche Bedeutung zukommt, steht außer Zweifel. Der Hahn als Wächter der ersten Morgenstrahlen wurde im Altiran heilig gehalten. Vermutlich handelt es sich hier um ein Bildmotiv, das seiner Herkunft nach wohl mazdaistisch ist und später in das Bildgut der islamischen Kunst übergegangen ist. In der Bauplastik des Nahen Ostens begegnen wir dem Hahn öfters in der Ornamentik. In unserem Bild ist er aber nicht ein ornamentales Motiv, sondern die Hauptfigur einer Darstellung, die als Anbetungsszene bezeichnet werden könnte. Die Verehrung der Tiere widerspricht jedoch dem Islam, und unsere Miniatur bezieht sich auf eine in der Himmelfahrtstradition erwähnte Episode, wonach ein riesengroßer Hahn, als Herold des Lichts, die vor Sonnenaufgang beginnende Gebetszeit der Muslime ankündigt.

19 Der Prophet mit dem Erzengel Gabriel im Himmel

20 Der himmlische Hahn

Die anderen Darstellungen zeigen den Propheten im Felsendom in Jerusalem – an dem Ort also, wo nach der Tradition die Himmelfahrt begann – zwei Empfangsszenen im Himmel, zwei Darstellungen des Paradieses und schließlich die Szene, in der ihm von einem Engel ein Stadtbild überreicht wird[118]. Das letzte Bild bezieht sich auf eine apokalyptische Vision des Propheten, wonach er, wie uns ein Überlieferungstext (Hadîs) berichtet, die bevorstehende Eroberung Konstantinopels durch einen großen islamischen Herrscher voraussagt.

23

In diesen Darstellungen haben wir sicher nur einen Teil des Bildbestandes, der einmal existiert hat. Das vorhandene Material genügt aber, um zu erkennen, daß wir es hier mit einem Künstler zu tun haben, der in der epischen Maltradition des Ostens gut bewandert war. Der Meister unserer Darstellungen ist ein Erzähler, und es kommt ihm an erster Stelle auf die bildhafte Erzählung eines von der Überlieferung weitergegebenen Berichtes an. Darauf weisen ausdrücklich diejenigen Bilder hin, in denen der Prophet in Begleitung des Erzengels Gabriel lediglich als eine Randfigur erscheint: als Betrachter und Erzähler, durch dessen Vermittlung wir an den wunderlichen Geschehnissen, die ihm auf seiner Himmelsreise begegnen, teilnehmen dürfen. Der Künstler gibt also in seinen Darstellungen das wieder, was ihm die Überlieferung aus dem Munde des Propheten berichtet und, da der Prophet nach islamischer Auffassung nur ein Mensch – nicht Gottessohn, sondern Sklave Gottes – ist, sind die Visionen des Propheten im Bild mit menschlichen Augen gesehen und durchaus glaubhaft dargestellt. Die Szenen spielen sich zwar in der himmlischen

19, 21

21 Mohammed über den Bergen

Sphäre ab, sie sind aber den irdischen Gesetzen unterworfen. Die überirdischen Ereignisse werden wie die irdischen in zeitlichen und räumlichen Beziehungen wiedergegeben. Das einzige Zeichen der Heiligkeit, das in diesen Bildern vorkommt, ist die Aureole um das Haupt des Propheten, die in Form einer geflammten Mandorla sogar die ganze Gestalt Mohammeds in der Stadtüberreichung umgibt. In den Engelsgestalten deutet außer den Flügeln und den gezackten sasanidischen Kronen nichts darauf hin, daß wir es hier mit übersinnlichen Wesen zu tun haben. Der stämmige Wuchs der göttlichen Boten gibt ihnen den Charakter von Erdgebundenheit, und die langen Zöpfe wie die mongolische Tracht mit dem kurzärmeligen Überrock entsprechen genau der Zeitmode. Die Bildkomposition, die räumliche Gruppierung der Figuren, die Wiedergabe der Architektur, der Landschaft, der Bewegungs- und Stellungsmotive erinnern an die Werke der italienischen Frührenaissance, und sicher sind diese Bilder auch von westlichem Einfluß nicht ganz frei. Die Wissenschaft hält heute einen Einfluß der islamischen Himmelfahrtslegenden auf Dantes Werk für möglich, wie umgekehrt in den dem berühmten Ahmed Mûsa zugeschriebenen Himmelfahrtsszenen ein starker Impuls aus den Werken der italienischen Meister zu spüren ist. Solche Wechselwirkungen können nicht durch rein äußerliche Ostwestbeziehungen erklärt werden, sie setzten vielmehr einen gemeinsamen Resonanzboden voraus. Es scheint, daß am Ende des Mittelalters auch der Orient, wenn auch auf einem ganz anderen Wege als

22 Der Prophet über dem Wasser

23 Stadtüberreichung

24 Mohammeds Himmelfahrt

der Westen, bis an die Schwelle einer Renaissance gelangt ist, die allerdings durch die Macht der bilderfeindlichen Einstellung des Islam verhindert worden und im ersten Ansatz steckengeblieben ist.

In den Saray-Alben des Topkapu-Museums sind außer unseren Himmelfahrtsdarstellungen noch eine Reihe von Bildern enthalten, die uns, aus verschiedenen religiösen Manuskripten herausgerissen, als lose Blätter erhalten geblieben sind. Es würde sich lohnen, diese Blätter im einzelnen zu untersuchen. Hier wollen wir aus diesem Bündel von Blättern nur auf zwei Beispiele hinweisen, die in der Entwicklung des Mongolenstils im 14. Jahrhundert zwei verschiedene Phasen repräsentieren. Im einen Beispiel ist Abrahams Opfer dargestellt. Die landschaftliche Bildszenerie hat hier eine größere Bedeutung als in den Himmelfahrtsdarstellungen. Die Darstellungsweise ist nicht nur erzählend, sondern auch beschreibend. Die Art der Wiedergabe von Felsen und Pflanzen ist mit der der »Kalîla und Dimna«-Illustrationen der Universitätsbibliothek in Istanbul nahe verwandt, und das Blatt wird wahrscheinlich wie diese Illustrationen in der zweiten Hälfte des 14. Jahrhunderts, etwa um 1370, entstanden sein. Das andere Blatt stellt die Entführung eines jungen Prinzen durch einen Engel dar. Die schlichte Art der Bilderzählung ist in diesem Blatt noch

25
26

25 Abrahams Opfer

26 Ein Engel ergreift einen jungen Prinzen

immer lebendig, aber die Landschaft ist nicht mehr frei von dekorativem Beiwerk, was auf den kommenden Timuridenstil hinweist. Dieses Blatt wird einige Jahrzehnte später als das vorige entstanden sein, etwa gegen Ende des 14. Jahrhunderts.

27 Der Kampf der Engel mit den Drachen

DÄMONENBILDER UND SZENEN AUS DEM LEBEN DER NOMADEN

In den letzten zehn Jahren wurde in einigen Saray-Alben des Topkapu-Museums eine Gruppe von Zeichnungen gefunden, die sich sowohl ihrem Stil wie ihrem ikonographischen Gehalt nach unverwechselbar von den uns bekannten Illuminierungen im mongolischen Stil unterscheiden und eine Gruppe für sich bilden. Sie weisen trotz der Spuren der Zeit, die einige Zeichnungen fast unkenntlich machten, einen der größten Meister der mongolischen Malerei aus. Über die Persönlichkeit dieses Künstlers selbst ist uns nichts bekannt. Keine geschichtliche Quelle erwähnt ihn. Sogar seinen richtigen Namen kennen wir nicht, denn der Name Üstad Mehmed Siyah Qalem (Meister Mehmed, genannt die Schwarze Feder), den man hie und da auf seinen Bildern antrifft, sieht nicht so aus, als sei es eine eigenhändige Signatur. Schonungslos scheint die Zeit mit diesem Künstler umgegangen zu sein. Die einzigen Lebensspuren, die er hinterließ, sind seine Zeichnungen.

Die mongolischen Miniaturen, die wir bisher behandelt haben, sind Illustrationen zu verschiedenen Handschriften gewesen, die in arabischer und persischer Sprache abgefaßt waren. Die Zeichnungen Siyah Qalems lassen sich in diese Reihe nicht einordnen. Die dargestellten Themen stammen hier aus einer Welt, die in den literarischen Quellen keinen Niederschlag findet. Wir lernen in diesen Bildern das Leben der Steppe kennen, das Leben von Menschen, die nichts Seßhaftes, Behäbiges, Bürgerliches haben. Sie gehen barfuß, tanzen wie die Wilden, gebärden sich grobschlächtig und führen in Gemeinschaft mit ihren Tieren ein einfaches Leben. Und dies alles wird in den

28 Illustration zu einem ostasiatischen Märchen

Zeichnungen von Siyah Qalem mit einem fast ans Brutale grenzenden Realismus so echt und ursprünglich dargestellt, daß wir annehmen dürfen, daß diese Bilder aus der Hand eines Meisters stammen, der in der Welt der Steppe heimisch war. Ein literarisches Gegenstück zu diesem Realismus findet sich in der »Geheimen Geschichte«, die unter dem mongolischen Schrifttum ein Unikum ist. Daß die Zeichnungen Siyah Qalems Illustrationen zu einem ähnlichen Werk gewesen sein sollen, ist damit nicht gesagt; denn sie sind – obwohl sie eine Stileinheit aufweisen – voneinander sehr verschieden: sie sind ein- oder mehrfarbig auf Pergament oder auf Seide gemalt, und das Größenformat der Bilder wechselt zwischen 12,5×13 cm und 22,5×48 cm. Dies bezeugt, daß es sich in unseren Bildern nicht um Buchillustrationen handeln kann. Jedoch nach der Art der Darstellungsweise zu schließen, werden auch dem Meister dieser Blätter dichterische Vorlagen nicht gefehlt haben: vermutlich alte epische Vortragstexte, die in der volkstümlichen Dichtung weit verbreitet waren.

Die Bilder Siyah Qalems lassen sich ihrem ikonographischen Gehalt nach in zwei Gruppen einteilen: die religiösen Bilder und die Darstellungen aus dem Leben der Nomaden.

Die Themen der ersteren Gruppe stammen aus einer den monotheistischen Religionen fremden Vorstellungswelt: sie stehen mit dem Schamanismus in engem Zusammenhang. Die Hauptfiguren sind in diesen Bildern Dämonen, die

29–34

29 Esel mit zwei Dämonen 30 Zwei musizierende Dämonen

man als sonderbare Mischwesen bezeichnen kann. Sie unterscheiden sich vom Menschen durch ihre Hörner, Schwänze, Felle, durch ihre furchterregenden Fratzengesichter und durch andere tierisch-dämonische Attribute, die sich wie Masken auf die solid gebauten menschlichen Körper legen. Jedenfalls sind diese Ungeheuer dem Menschen sehr ähnlich, und sie gebärden sich auch wie Menschen: sie ringen und tanzen, spielen Musikinstrumente, rauben Menschen und Pferde, führen ein abgemagertes Tier am Zügel und opfern in einer Kulthandlung einer unbekannten Gottheit ein Pferd. Auch ihre Kleidung ist derjenigen der Menschen ähnlich: sie tragen Schürzen und haben goldene Ringe um den Hals, an den Händen und Füßen. Ihr Körper ist selbst in Ruhestellung gespannt, und die überquellende Energie in ihren Gelenken ist immer bereit, sich zu entladen. Sie erwecken in uns den Eindruck einer bösartig-irrationalen Macht, die sich wie im Donnerrollen oder Brüllen wilder Tiere entlädt. Einige Dämonenfiguren erinnern geradezu an die phantastischen Schöpfungen der Gotik, wobei nicht vergessen werden darf, daß diese ungeheuerlichen Wesen sowohl für Christen als auch für Mohammedaner entschieden auf die Seite der bösen Mächte, des Teufels oder der Verdammten gehören. Faßt man sie als Ausgeburten einer religiösen Phantasie auf, so sind sie auf keinen Fall durch eine antithetische Auffassung von Gut und Böse, Paradies und Hölle, Himmel und Erde zu begreifen, sondern man müßte an eine heidnische Religion denken, die die geheimnisvollen Mächte der Natur dämoni-

31 Dämon raubt ein Pferd

32 Pferdeopfer

33 Tanzende Dämonen

34 Der Kampf mit dem Dämon

siert und sie zugleich zu bannen sucht. Vielleicht handelt es sich in unseren Bildern um Personifizierungen solcher Mächte, und es ist nicht ausgeschlossen, daß wir in einigen Bildern maskierte Schamanen vor uns haben, die Dämonen nachahmen und bekämpfen, um Menschen und Tiere zu heilen.

35–47 In der zweiten Gruppe ist das harte Dasein der Nomaden dargestellt. Die Füße der Menschen, die sich auf einer ständigen Fußwanderung befinden, sind in diesen Bildern so ausdrucksvoll dargestellt wie ihre Gesichter. Barfuß ziehen sie von Ort zu Ort und führen mit ihren Tieren ein Leben voller Entbehrungen. In der rauhen Welt dieser Menschen ist kein Platz für das Liebliche und Idyllische. Nur selten begegnen wir Zeichnungen, in denen der Künstler *43, 41* etwa ein ruhendes Nomadenlager oder eine friedliche Familienszene gestaltet. Aber selbst dann verliert Siyah Qalems Realismus nichts von seiner Härte. Alles wird in derselben rauhen Nacktheit dargestellt, die uns aus den anderen Bildern des Meisters schon bekannt ist. Man hat bei diesen Bildern den Eindruck, daß hier die Menschen dargestellt sind, von deren Vorstellungswelt in der Gruppe der Dämonenbilder die Rede war.

Es ist bezeichnend für die Darstellungsweise Siyah Qalems, daß in seinen Zeichnungen die Figuren aus ihrer natürlichen Umgebung losgelöst sind und wie auf einem weißen, glatten Bildschirm ohne Tiefe erscheinen. Sie sind immer mit einiger Entfernung nebeneinandergestellt und werden durch konventionelle Zeichen, durch einen Blick, eine Gebärde der Hand oder des Kopfes zueinander in Beziehung gebracht. Eine Ähnlichkeit zwischen den Zeich-

35 Gigant, sich auf einen Stock stützend

35, 37 nungen und den Schattenspielszenen ist nicht zu übersehen. Auch hier scheint das Aussehen der Personen wichtiger zu sein als ihre Handlung. Das geht so weit, daß vereinzelte Gruppen sich wie erstarrte Szenenbilder eines Dramas mit einer uns unbekannten Handlung ausnehmen. Der Eindruck, daß es sich hier um Theater handeln könnte, stellt sich besonders wegen der vielen Konversationsszenen ein. Auch die an maskierte Schauspieler erinnernden Figuren tragen dazu bei. Die Gesichter drücken ein mit Furcht oder Zorn gemischtes Staunen aus. Die immer gleich harten und starren Blicke, die uns in den verschiedensten Szenen begegnen, drücken niemals einen persönlichen Seelenzustand aus. Vielmehr haben wir es hier mit maskenhaften Fratzen zu tun, keineswegs mit wirklichen Gesichtern. Auch die Bewegung des Körpers, der Arme, der Hände und sogar der Füße ist schematisch wiedergegeben. Der Gang und die Gesten wechseln von einer Figur zur anderen nur wenig. In allen Situationen haben wir durch Gesichtsausdruck, Mimik, Gebärde und Kostüm genau charakterisierte Personen vor uns, die sich in höchster dramatischer 40, 42 Spannung befinden. Auch die ruhigsten Szenen sind mit einer latenten Leidenschaft geladen; in jeder geht etwas Feierliches vor sich.

Es wäre angebracht, Siyah Qalem als einen Maler des Repräsentativen (Hieratischen) zu bezeichnen. Der Formenreichtum der Natur und die Freude des Beschreibens scheinen ihm unbekannt gewesen zu sein. Wenn er ein Nomaden- 43 lager darstellt, so gibt er eine Anzahl fast zufällig über die Fläche verstreuter Bildformen wieder, die die Menschen, Tiere und Gegenstände nicht in ihrer alltäglichen Erscheinung einfangen, sondern uns eine Reihe von einzelnen schematisierten Erinnerungsbildern vermitteln. Landschaftsdarstellungen fehlen unter den Zeichnungen Siyah

36 Steinbruch

37 Unterhaltungsszene

Qalems. Kommt einmal, höchst selten, ein Stück Natur vor, dann ist es wieder ein Sinnbild, das auf ein Requisit der Bühne hinweist. So bleibt Siyah Qalems Zeichenschrift fast immer im Repräsentativen. Die Figuren, die er malt, stellen allgemeine Typen dar und geben nie das Bild eines Individuums wieder. Einige wenige Schemata verwendet er für die Gesichter, deren Ausdruck sich von einer Person zur anderen nur wenig ändert. Die Natur bei Siyah Qalem bleibt, so wirklichkeitsnah sie auch ist, doch immer abstrakt und überlegt. Einige Tierzeichnungen könnten den Eindruck eines unmittelbaren Kontaktes mit der Natur erwecken, aber auch hier hindert eine übernommene Vorstellung den Maler daran, sich einer etwaigen persönlichen Beobachtung ganz hinzugeben. Hinter dem überraschenden Realismus des Pferdes entdecken wir bald die abstrakte synthetische Vorstellung. Wie überall sind auch die Füße hier systematisch von zwei entgegengesetzten Seiten gesehen, und der Kopf, der von mehreren Blickpunkten aus aufgenommen ist, wirkt so abstrakt wie eine Picassozeichnung. *34* *45*

Trotz dieser Abstraktion bleibt die Einstellung Siyah Qalems doch der Natur zugewandt. Abstraktion bedeutet für ihn nicht eine Flucht aus der Natur, wie dies etwa bei den islamischen Künstlern der Fall ist. Obwohl die Geschöpfe Siyah Qalems außerhalb ihrer Umweltsbeziehungen erscheinen, sind sie doch in ihrer vollen Wirklichkeit erfaßt. Im Gegensatz zu den schwerelosen Figuren der Miniaturen hat der Körper hier eine bildhauerische Monumentalität, die echte und überzeugende Schwere ausdrückt. Durch diese Schwere erklärt sich auch der Eindruck von Größe, den diese Figuren – selbst in den in kleinsten Ausmaßen gezeichneten Bildern – erwecken. Wenn die Figuren auch frei in der Luft zu schweben scheinen und ihre Füße nirgends mit dem Boden in Berührung kommen, so gibt es nur wenige Maler, bei denen der Mensch so fest auf seinen Füßen steht und so schwer auftritt wie bei ihm. In dieser Hinsicht ist das Sich-Aufstützen auf einen Wanderstab – ein Motiv, das Siyah Qalem häufig wiederholt – für den Meister besonders bezeichnend. Gleichviel ob sie eine Last heben, miteinander ringen, sich setzen oder einfach stehen, haften die Figuren doch so fest an der Erde, daß ihre ganze Kraft von ihrem Gewicht herzurühren scheint. Die Füße sind wie lebendige Keulen, in die Siyah Qalem die ganze Energie seiner Riesen zusammendrängt. Gegen die Erde

38

38 Der hockende Riese

39 Tanzende Schamanen

strebt alles hin, und von der Erde schießt alles empor. Sogar der Tanz löst den Körper nicht von der Erde, sondern zeigt, wie sie ihn an sich zieht, womit sein Gewicht wieder stark spürbar gemacht wird. Ob sie sitzen oder kauern, *33, 39* die Figuren haben alle eine Neigung: sich auf der Erde auszubreiten und darauf die größte Fläche einzunehmen. Die Beine öffnen sich, als wollten sie die unsichtbare aber doch stets so gegenwärtige Erde umklammern. *38*

Die Schwere, um die es sich hier handelt, tritt also bei Siyah Qalem als Ausdruck einer dem Menschen innewohnenden Kraft in Erscheinung und darf nicht mit der der trägen Materie verwechselt werden. Darum kann Siyah Qalem den Körper seiner Kolosse trotz der schweren Massigkeit merkwürdig leicht halten. Obwohl die *35* Körper mit vollem Gewicht auf der Erde lasten, sind sie doch selbst in der Ruhe immer gespannt und in Bewegung, immer bereit, federnd aufzuspringen und sich zu recken und zu strecken. Überhaupt ist Siyah Qalems Zeichnung immer dann besonders intensiv, wenn es sich um die beweglichen Teile des Körpers und die Zentren physischer Kraft handelt. Die Gelenke werden in seinen Zeichnungen besonders akzentuiert, Ellbogen und Knie haben über- *37* triebene Schwellungen, die Muskeln sind geladen von Energie und die Füße immer in Spannung, gleich den Tatzen und Klauen der wilden Tiere. Dank dieser ausdrucksstarken Hervorhebungen gewinnt die geringste Bewegung eine erstaunliche Breite und Wirklichkeitsnähe. Vom Körper, der sich auf einen Stock stützt, fühlen wir das ganze Gewicht; schon allein das Festhalten oder Tragen eines Gegenstandes bringt die große physische Kraft zur Geltung, *40*

40 Stehende Männer in Unterhaltung

41 Nomadenfamilie

42 Nomaden

die auszudrücken Siyah Qalems größtes Anliegen ist. Manchmal muß man geradezu an die Riesen Michelangelos denken, bei allen sonstigen Unterschieden zwischen den beiden Künstlern. Haben nicht beide das gleiche leidenschaftliche Interesse für die Dynamik des menschlichen Körpers? Gewiß gewinnt die durch eine rationale, geometrische Ordnung gebändigte Kraft von Michelangelos Riesen eine ruhige, harmonische Majestät, während wir bei Siyah Qalem vor einer tumultuarisch entfesselten Kraft stehen, die sich um Anmut und Maß nicht kümmert. Wie es aber auch sein mag, gemeinsam ist hier wie dort das Bestreben um die Bewegung und die Dynamik des Körpers, ein Bestreben, das zur Auflockerung und Auflösung der Masse führt. Arme, Hände und Füße heben öfters zu einer *39, 46* Drehbewegung an, in der die feste Körperform zu einem räumlichen Gebilde verwandelt wird. So erzeugen Siyah Qalems Figuren, obwohl sie aus ihrer natürlichen Umgebung herausgerissen sind, doch ihren eigenen Raum; sie befinden sich im Raum.

Das Mittel, dessen Siyah Qalem sich bedient, um seine plastischen Werte zu erreichen, ist die Linie. Gewiß, die Formen erweichen und runden sich in seinen Zeichnungen auch dank einer kontrastreichen Schattierung. Doch was zunächst als Modellierung erscheint, läßt sich letzten Endes auf eine Virtuosität im Linearen zurückführen, die sich um keine Erfordernisse der Perspektive kümmert. Die Linie bleibt Siyah Qalems eigenstes Ausdrucksmittel, durch sie allein gelingt ihm die Wiedergabe seiner anatomischen Beobachtungen. Mit diesem Mittel beschreibt er die Falten, die Runzeln, das Relief und alles Vorspringende. Das Spiel der Schatten, das fast immer willkürlich ist, kommt hinzu als Effektmittel, um die Wirkung der Linie zu unterstützen, jedoch ohne sie im Ausdruck des Volumens je ersetzen

43 Nomadenlager

44 Ein Nomade führt sein abgemagertes Pferd am Zügel

zu können. Das gleiche Verfahren wird manchmal in pointilistischer Manier angewandt, um die Struktur der Haut oder der Kleidung wiederzugeben. Der Umstand, daß Siyah Qalem auf dieses Verfahren nicht unbedingt angewiesen ist, um seine Formen zu runden und ineinander übergehen zu lassen, es vielmehr entbehren kann, beweist, daß es sich hier nicht um eine neue Technik handelt, wie etwa beim Sfumato des Leonardo da Vinci.

40, 42

Nicht zufällig denkt man bei den Faltenwürfen der Gewänder an die Gotik, die ebenfalls mit linearen Mitteln plastische Werte gestaltet. Das Erbe der Spätantike macht sich in Siyah Qalems Zeichnungen nicht weniger bemerkbar als in den gotischen Statuen. Auch hier ist die Zeichnung oft nur ein Strom paralleler, rhythmisierter Linien, der alle Einzelheiten des Kostüms verwischt. Doch zeigt uns gerade dieser Vergleich, wie verschieden die beiden Welten waren, die hier und dort von verschiedenem Geiste beherrscht und geformt wurden. Während das Christentum durch das Spiel der Falten die Körper entstofflichen will, bedient sich der heidnische Geist des mongolischen Künstlers der welligen Fluten der Gewänder als Gußformen, in denen er seine Figuren zwingt, Leben anzunehmen. Im Gotischen gehen die Linien von einem Knoten aus und lösen von da aus den Körper auf; hier hingegen umhüllen sie ihn mit Spiralen: es bilden sich schwere, zur Erde hin wuchtende Säcke, durch die die feste Körperform erst als

45 Ein Nomade weidet sein Pferd

plastische Erscheinung im Raum auftritt. Im Unterschied zu den gotischen Figuren, die dem himmelwärts strebenden Linienzug der Kathedrale folgen, werden die Figuren bei Siyah Qalem nach unten hin breiter und massiger.

Die Entstehungszeit der Zeichnungen Siyah Qalems ist heute ein Diskussionsthema. Der Linearismus des Meisters weist eine enge Verwandtschaft auf mit den Werken der mongolisch-chinesischen Kunstrichtung, zu der auch die Illustrationen der Weltchronik aus dem Anfang des 14. Jahrhunderts gehören. Die Entstehungszeit von Siyah Qalems Werken scheint jedoch heute einigen Gelehrten erheblich später zu liegen. So setzt Ettinghausen[119] die Blätter in den Anfang des 15. Jahrhunderts und zwar vor allem auf Grund eines blau-weißen Porzellangefäßes in einer Zeichnung von Siyah Qalem (Freer Gallery of Art No. 37.25), das angeblich erst zu dieser Zeit auftaucht. Die Darstellungsthemen und der Stil dieser Werke spricht aber nicht für diese Datierung. Die Darstellungsweise trägt, wie bereits angedeutet, eher repräsentativen als beschreibenden Charakter, und sie scheint von den naturalistischen Errungenschaften des 14. Jahrhunderts, denen wir überall in den Werken der mongolischen Kunst begegnen, völlig unberührt geblieben zu sein. Die Datierungsfrage wird sich erst klären, wenn wir über den künstlerischen Kreis, aus dem diese Zeichnungen stammen, etwas Näheres erfahren würden. Dies bleibt aber vorläufig im Dunkeln.

46 Ein Pferd wird dressiert

47 Krieger mit Pferd

Aus dem letztgenannten Grunde gelingt uns auch noch nicht genau zu unterscheiden, wo der persönliche Beitrag des Meisters anfängt und wo die Bildüberlieferung, der er verpflichtet ist, aufhört. Soweit wir seine Werke kennen, verraten sie einen unabhängigen Geist und eine erzwungene Anpassung. Wahrscheinlich handelt es sich um einen Künstler, der inmitten eines Volkes von Nomaden lebte und sich mit diesen Menschen neuen Einflüssen öffnete; um einen Künstler der zentralasiatischen, türkisch-mongolischen Nomadenstämme, die von jeher nicht nur die Kunstformen, sondern auch die Sitten und Gebräuche fernöstlicher Kulturen nach Vorderasien trugen, sie aber an neue Umstände anpaßten, sie umformten oder mit neuen Erfahrungen bereicherten. In den wenigen Zeichnungen, die zufällig in den Saray-Alben auf uns gekommen sind, lernen wir die Nomadenwelt und ihre Kunst von einem überraschend neuen Aspekt kennen. Die vorislamische, heidnische Vorstellungswelt des Schamanentums gewinnt in diesen Bildern einen Überschwang, dem wir sonst nirgends begegnen. Der Überschwang geht in den Kulthandlungen so weit, daß die dargestellten Personen während des Tanzes ein Pferd zerstückeln und seine noch vom Blut triefenden Gliedmaßen wie Tücher um sich schwingen. Kein himmlischer Geist besucht diese Welt, die von entfesselten Ungeheuern mit brutaler und elementarer Kraft heimgesucht wird. Im Umkreis unserer Bilder kommen nur noch einige Engelsfiguren in den Illustrationen zu ostasiatischen Märchen vor; die Darstellung einer großartigen Kampfszene, in der Engel die Drachen am Abgrund fesseln, gehört ihrem ikonographischen Gehalt nach eindeutig dem buddhistischen Glaubenskreis an. Obwohl diese Kunst dem Fernen Osten verpflichtet ist, finden wir in ihr keine Spur vom impressionistischen Lyrismus der ostasiatischen Malerei. Seine Lineare und pointilistische Raffiniertheit, die der Meister Siyah Qalem den chinesischen Meistern verdankt, wird bei ihm in den Dienst eines brutalen Realismus gestellt, dem wenig daran liegt, angenehm zu wirken. Dieser Realismus war dem Islam wesensfremd und konnte in der islamischen Welt nur Unbehagen erwecken. Das könnte erklären, warum das Werk des Meisters in den islamischen Ländern Vorderasiens keine Nachfolge hat und ein einmaliges Phänomen ist.

32

28

27

LANDSCHAFTSMALEREI, TIERZEICHNUNGEN

Das Naturempfinden hatte in Persien tiefe, bis in zoroastrische Vorstellungen zurückreichende Wurzeln und fand später durch die pantheistische Lehre des Sufismus auch eine weite Verbreitung. Aus eigenen Kräften jedoch brachte es dieses Land nicht zu einer bildlichen Darstellung der Natur, und erst als die Keime der ostasiatischen Kunst auf den fruchtbaren Boden Persiens fielen, konnte eine Landschaftsmalerei entstehen, die neue, bis zu diesem Zeitpunkt dem Nahen Osten unbekannte Werte vertrat.

Aus der Entstehungszeit dieser Kunstgattung ist nicht mehr viel erhalten. Zum Wenigen dürfen wir noch einige Werke aus den Saray-Alben zählen. Sie scheinen gegen Mitte des 14. Jahrhunderts entstanden zu sein. Zu erwähnen wäre unter diesen die »Herbstlandschaft« in Tübingen, in der die Melancholie einer absterbenden Natur mit einigen zerzausten Bäumen, einem Fluß und kahlem Gestrüpp meisterhaft wiedergegeben wird (Diez A Fol. 71, S. 10[120]). Menschliche Figuren und Tiere kommen in diesem Bild nicht vor, so daß man hier von einer reinen Landschaftsdarstellung sprechen kann, in der die Natur nicht mehr als Staffage, sondern um ihrer selbst willen Gegenstand der künstlerischen Gestaltung ist. Obwohl das »Sommerbild« in Istanbul nur als Fragment erhalten ist, wird es, nach der glänzenden pointilistischen Ausführung zu schließen, doch aus der Hand eines bedeutenden Künstlers stammen. Wie beim Tübinger Blatt wird auch hier die Natur aus der Vogelschau betrachtet; so entsteht eine panoramaähnliche Ansicht, die zugleich Weite und Tiefe in sich birgt. Der Bildausschnitt wird in den Landschaftsdarstellungen kleiner, sobald sich das Interesse des Künstlers aus der Fülle der Natur auf einige Formen richtet. Die Künstler, die diese Landschaften malten, wußten, daß durch den Gegensatz zwischen Nah- und Fernsicht im Bild der Eindruck der

49

räumlichen Tiefe besonders stark zum Ausdruck gebracht werden kann. Von diesem Wissen zeugen einige Bilder der *48* Alben, in denen zumeist ein Vogel im Vordergrund aus nächster Nähe dargestellt ist. Das Spiel der Perspektive ist offenbar zu dieser Zeit recht verbreitet gewesen: die Künstler versuchten, die Natur immer von einem neuen Blickpunkt aus zu betrachten, so daß sie ihr neue und überraschende Seiten abgewinnen konnten, die zu einer ungeahnten Bereicherung des Landschaftsbildes führten.

Einer allgemeinen Beliebtheit erfreuten sich zu dieser Zeit Berglandschaften, von denen sich in Tübingen ein gut erhaltenes Beispiel befindet (Diez A Fol. 71, S. 28)[121]. Das Bild stellt eine von hohen und steilen Felswänden umgebene Landschaft dar, in der die Größe und Einsamkeit der Natur durch eine einzelne Reitergestalt im Vordergrund besonders wirkungsvoll fühlbar gemacht wird.

Die Felskulissen sind in den Landschaftsbildern dieser Zeit ein Hauptmotiv, das ausfüllt, aufteilt, aufbaut und abschließt. Durch aufeinandergetürmte Blöcke ergeben sich phantastische Bildungen. Von weitem wirkt die Gestaltung einheitlich, und die Oberfläche der Felsen zeigt eine glatte Struktur, wie von einer Axt behauen. Werden aber diese Felsbildungen aus der Nähe gezeigt, so löst sich das Ganze in lauter einzelne Elemente auf, die sonderbare bizarre Formen aufweisen. Eine derbe Zeichnung ersetzt hier die Modellierung. Weiß umrandete dunkle Linien *13* trennen und binden die Steinmassen, und an der Wiedergabe der rauhen, schwammartig porösen Beschaffenheit des Tuffgesteins scheint der Wirklichkeitssinn der Mongolen seine besondere Freude gehabt zu haben.

Knorrige Baumstämme und zackige Äste kommen in den Landschaftsbildern des 14. Jahrhunderts sehr häufig vor. Es handelt sich bei diesen Bäumen mehr um dekorativ empfundene Bildformen fernöstlicher Herkunft. Es sind aber aus dieser Zeit auch Landschaftsbilder erhalten, in denen die Darstellung der Bäume von einer echten Naturbeobachtung zeugen. In den aus der Mitte des 14. Jahrhunderts stammenden Illustrationen zu den Werken der Unterhaltungsliteratur finden wir die überzeugendsten Beispiele dafür. Auf Grund der Verteilung von Ästen und Zweigen

48 Vogel in felsiger Landschaft

49 Sommerlandschaft

50 Der Kampf Iskandars mit den Wölfen

und der Formen ihrer Blätter, Blüten und Früchte sind diese Bäume nicht nur ihrer Gattung, sondern sogar ihrer Art nach gleich zu erkennen. Sträucher, Blumen und Büsche sind in diesen Bildern ebenfalls naturalistisch gezeichnet, und die in parallelen Reihen angeordneten Grasbüschel erwecken den Eindruck räumlicher Tiefe und Weite. *15*

Obwohl die atmosphärischen Erscheinungen in den Landschaftsbildern durchaus naturalistisch dargestellt werden, ist die Wiedergabe des Wassers schematisch. Es besteht aus Wellenlinien, die durch Schnörkel- und Rosettenornamentik belebt werden. Die plastisch aufgewirbelten Massen des chinesischen »Donnerwolkenmotivs« kommen in unseren Bildern sehr oft vor. Doch erscheint neben der schematischen Art der Wiedergabe in einigen Blättern auch eine naturalistische, in der die Wolken, Marmoradern gleich, ellipsenförmige, sich in die Länge ziehende, ovale Streifen *49* bilden.

Die mongolische Landschaftsmalerei ist also trotz des weit fortgeschrittenen Naturalismus von altüberlieferten Bildzeichen nicht ganz frei, wie aus der Darstellung von knorrigen Bäumen, schwammigen Felsen, Wasser- und

51 Jagdszene

52 Fabeltiere

Wolkenspiralen zu ersehen ist. Doch wird in diese Schemata ein neues Naturgefühl hineingetragen, und vorgefundene Formen und persönliche Beobachtung, das Abstrakt-Dekorative und Plastisch-Räumliche verschmelzen zu einer sonderbaren Synthese, wie sie für die chinesisch-mongolische Kunstrichtung so sehr bezeichnend ist.

In den Saray-Alben sind außer diesen Landschaftsbildern noch eine große Anzahl mongolischer Zeichnungen enthalten, die allerdings nicht von gleicher Qualität sind. Neben dem Original finden wir die Kopien, neben dem Meister den Schüler. Eine Reihe von diesen Zeichnungen ist signiert, und mehrere der zum Teil schwer lesbaren Namen wurden von E. Kühnel in einem Aufsatz behandelt[122]. Die meisten von diesen Signaturen sind aber Zuschreibungen aus späterer Zeit. Da es bei der Anonymität der Kunstwerke im Orient schwer festzustellen ist, welche Signaturen als eigenhändige der Künstler angesehen werden können, bieten diese für eine genaue Datierung der Blätter keinen sicheren Ansatzpunkt. Auch der technischen Ausführung, ihrem künstlerischen Charakter und ihrem Zweck nach weisen die Blätter große Unterschiede auf. Sie sind ein- oder mehrfarbig, mit Feder oder Pinsel gezeichnet; öfters werden sie laviert oder in Gold gehöht oder haben den Charakter von Skizzen, Studien, Matrizenentwürfen für Bucheinbände, Randzeichnungen oder dergleichen.

Unter diesen Zeichnungen befindet sich eine Gruppe von Blättern aus dem Milieu des mongolischen Rittertums und des höfischen Lebens, das in Jagd- und Spielvergnügungen seinen Niederschlag findet, und Darstellungen aus dem Ende des 14. Jahrhunderts, die sehr verschiedene Themen (Gartenszenen, felsige Berglandschaften und dergleichen) zum Gegenstand haben, und durch die subtile Art der Zeichnung, mit der sie ausgeführt sind, deutlich den Weg vom Calairiden- zum Timuridenstil ankündigen[123]. *51*

Ferner ist eine umfangreiche Sammlung von dekorativen Zeichnungen ostasiatischer Prägung zu erwähnen, die mit dem Farbpinsel schwungvoll hingeworfen, mit ihrem organisch bewegten Linienrhythmus geradezu einen der abstrakten Arabeske entgegengesetzten Charakter tragen. Wir finden unter diesen eine Reihe von Motiven, die ihrer Herkunft nach aus dem Fernen Osten stammen. Zu diesen gehören etwa der Phönix, der Drache, der Löwen- und Hirschkilin und neben vielen dekorativen Landschaftselementen auch der mongolische Knoten ebenso wie die im Winde wehenden Schärpen, Tücher und flatternden Bänder, die uns als dekoratives Beiwerk in den Werken der mongolischen Malerei überall begegnen. *52* *33, 39*

In den Tierzeichnungen kommt es dagegen zu einer Verschmelzung der nahöstlichen Bildüberlieferung mit dem Einfluß des Fernen Ostens. Die Naturähnlichkeit wirkt in diesen Blättern oft verblüffend. Die mit einem so großen Realismus gestalteten Tierzeichnungen entstammen jedoch nicht einer persönlichen Naturbeobachtung,

53 Tierkampf

54 Hyänen

sondern stellen die für jede Tierart kennzeichnenden Bewegungsmotive dar, wie etwa das Fliehen des Hirsches, das Lauern des Fuchses oder das Angreifen des Leoparden, die von einer naturalistischen Bildtradition des Fernen Ostens getragen, von Generation zu Generation weitergegeben werden.

53, 54

Der persönliche Beitrag des Künstlers zeigt sich in diesen Zeichnungen zumeist in der besonderen Art der Wiedergabe der betreffenden Bildformen. Auf Grund der starken Gebundenheit an die Tradition wird in der Ausführung eine Perfektion erreicht, die kaum zu überbieten ist. Aber der Traditionalismus kann auch zur Erlahmung der schöpferischen Kräfte führen, die Virtuosität leicht zu Routine absinken. Wenn die meisten Zeichnungen des 14. Jahrhunderts einer solchen Gefahr entgehen, so nur deshalb, weil sie von einer lebendigen Überlieferung getragen werden. Die Künstler unterwerfen sich zwar der Tradition, aber sie verleihen ihr zugleich neue Kraft und neue Frische. Die Motive, die von unzähligen Händen immer von neuem wiedergegeben werden, sind nicht tote Schemata, sondern empfundene, erlebte Formen. Daher erhält auch die Kopie hier einen neuen Sinn, und die Wiederholung hat die Bedeutung eines Neuerzeugens. Diese Sachlage ändert sich erst im 15. Jahrhundert, als das Kunstleben von einer ihrer menschlichen Inhalte und ihrer geschichtlichen Bedeutung entkleideten Tradition des Dekorativen beherrscht zu werden beginnt.

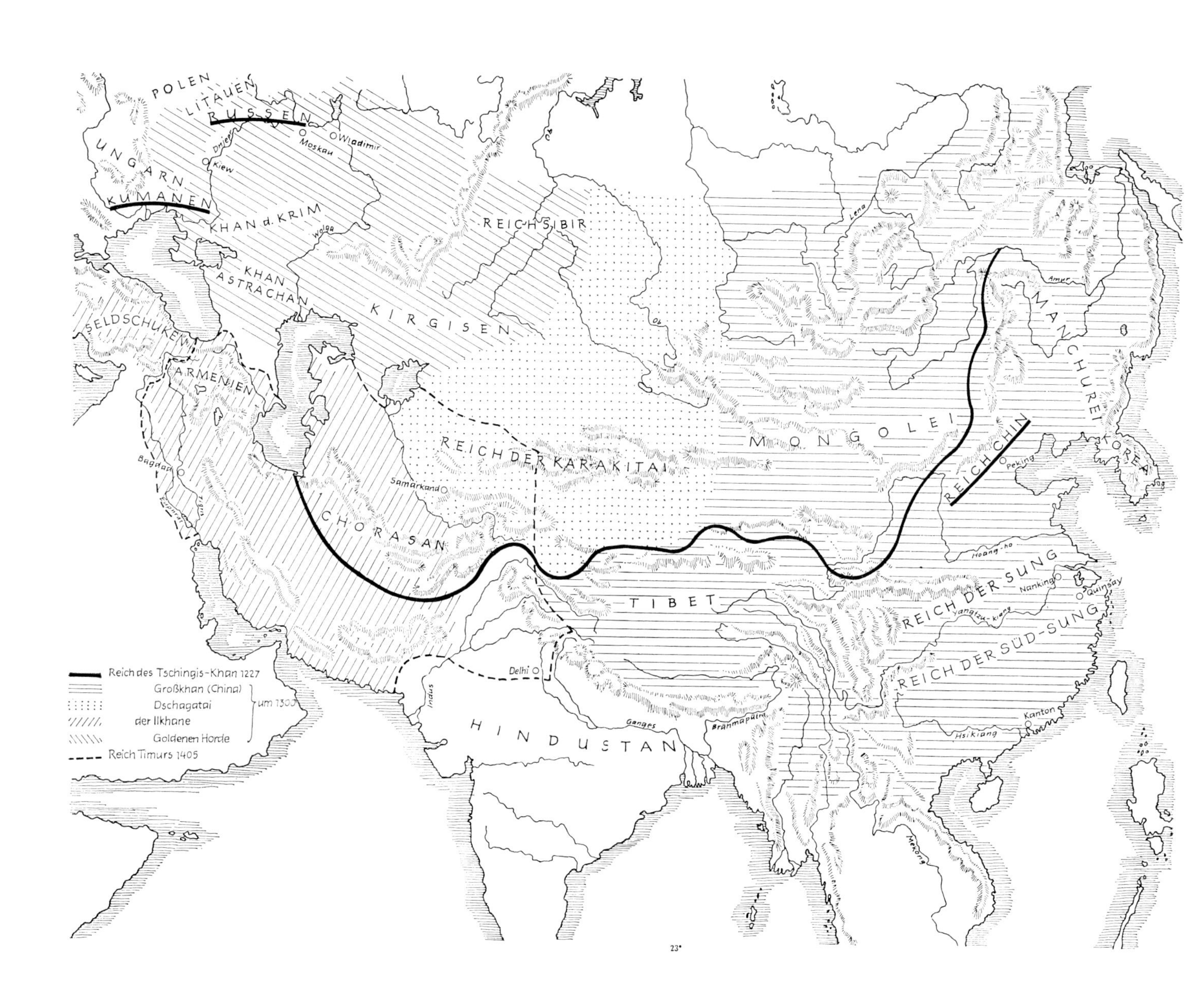

Nach Walther Heissig, Mongolenreiche, Propyläen-Weltgeschichte VI 1964

ZU DEN BILDERN

HEROISCHE LIEBE

Illustrationen zur Gedichthandschrift »Warqa und Gulšâh«

1

WARQA UND GULŠÂH (7,2×17,7 cm). Die Gedichthandschrift »Warqa wu Gulšâh«, erste Hälfte des 13. Jahrhunderts. – Istanbul, Topkapu Saray-Museum, Hazine 841, S. 33b

Die Miniatur führt uns in eine imaginäre Formenwelt, in der sich die Naturwirklichkeit, ihrer materiellen Schwere enthoben, zu abstrakten Zeichen einer ornamentalen Gestaltung verwandelt. Einige Pflanzen und Tiere deuten einen Traumgarten an, in dem sich die Liebenden begegnen. In den Gestalten mit runden Gesichtern und vier langen Zöpfen erkennen wir den seldschukisch-mongolischen Typus wieder, der, schematisch dargestellt, selbst bei dem Liebespaar keine porträtmäßigen Unterschiede aufweist. Die Köpfe sind mit einer Aureole umrahmt, die, fernöstlicher Herkunft, als Zeichen von Hoheit und Macht in der buddhistischen Kunst durchaus geläufig ist. In der islamischen Miniaturmalerei jedoch verliert der Nimbus seine ursprüngliche Bedeutung und dient, indem er in effektvoller Weise die Köpfe vom Bildgrund abhebt, eher formal-dekorativen Zwecken.

2

ZWEIKAMPF (6,0 × 17,7 cm). Die Gedichthandschrift »Warqa wu Gulšâh«, erste Hälfte des 13. Jahrhunderts. – Istanbul, Topkapu Saray-Museum, Hazine 841, S. 22a

Im offenen Zweikampf tötet Gulšâh den Rivalen ihres Geliebten rücklings mit der Lanze. Es handelt sich in »Warqa und Gulšâh« nicht um die platonische, sondern um die epische Form der Liebe. Die Liebenden müssen um ihr Glück kämpfen. Die Komposition der Szene ist richtungsbestimmt und entfaltet sich nach dem Verlaufe der goldflimmernden Schrift auf blauem Bildgrund von rechts nach links; auch die Lanze in der Hand Gulšâhs weist in diese Richtung.

Wie die Linie, so ist auch die Farbe für die islamische Miniaturmalerei ein Abstraktionsmittel. Die Farbe – beim kleinen Format der Buchillustrationen das dekorative und zugleich die Sichtbarkeit der einzelnen Motive verdeutlichende Element – ist ein Kunstmittel, um die Erscheinung der Gegenstände zu entwirklichen und ihnen Transparenz zu verleihen; dafür ist die unwirklich leuchtende Farbenskala unserer Miniatur ein einmaliges Beispiel.

HELDENEPOS

Illustrationen zu Firdausîs Šâhnâme

3

ISFANDIYARS KAMPF MIT DEM DRACHEN (12,0× 25,5 cm). Šâhnâme 1330. – Istanbul, Topkapu Saray-Museum, Hazine 1479, S. 144a

Die Helden des Königsbuches sind Giganten, die, mit dämonischen Kräften ausgestattet, Wundertaten vollbringen. Unter ihren Gegnern befinden sich Drachen und andere Fabelwesen, die dem Buchmaler Anlaß zu kühnen ornamentalen Gestaltungen geben.

4

ISFANDIYARS KAMPF MIT DEM SIMURGH (11,0×22,5 cm). Šâhnâme 1330. – Istanbul, Topkapu Saray-Museum, Hazine 1479, S. 145a

Der Vogel Simurgh ist in den Šâhnâme-Illustrationen ein Prachtmotiv der Ornamentik. Der Kampf des angriffslustigen Vogels mit dem Helden spielt sich in einer phantastischen Landschaft ab, die mit der Naturwirklichkeit nur noch in Ansätzen etwas zu tun hat.

5

DIE VIER GETREUEN KEYKHUSRAUS (13,0×22,5 cm). Šâhnâme 1330. – Istanbul, Topkapu Saray-Museum, Hazine 1479, S. 126a

Die vier Getreuen Keykhusraus finden den Tod in den Bergen. Die Heldengestalten sind Variationen eines ornamentalen Hauptmotivs, zu dessen Elementen die Blumenmuster der Kleider, das Flechtwerk der Panzer und die maskenhaften Gesichter gehören. Die stilisierten Bergkegel, die in unwahrscheinlichen Farben leuchten, deuten eine mythische Landschaft an, die nur dem Šâhnâme angehört.

6

RUSTAMS GEBURT (8,0×19,4 cm). Šâhnâme, Anfang des 14. Jahrhunderts. – Stiftung Preußischer Kulturbesitz, Tübinger Depot der Staatsbibliothek. Diez A Fol. 71, S. 79

Der Nationalheld der Perser wird im Šâhnâme wegen seiner Robustheit und Stärke öfters mit einem Löwen oder Elefanten verglichen. Da er schon im Mutterleib zu groß war, erforderte seine Geburt einen Kaiserschnitt. In dieser Stunde der Gefahr erscheint Zal, Rustams Vater, der sagenhafte Vogel Simurgh und gibt ihm eine Feder, die die Wunde der Mutter Rudabe heilen soll.

Es ist bezeichnend für die erzählende Darstellungsweise, daß in unserer Miniatur zwei verschiedene Episoden der Legende auf demselben Bildstreifen wiedergegeben werden: rechts in der Mitte die halb liegende und nur zum Teil mit einem blumenbemusterten Tuch umhüllte riesige Kybelegestalt einer Frau, die in den Wehen einer schweren Geburt sich mit ausgestreckten Armen auf zwei an ihren beiden Seiten stehende und im Verhältnis zu ihr winzig klein erscheinende Frauen stützt. Die linke Szene ist von dieser durch einen Vorhang getrennt. Vor einem Herd, auf dem in einem offenen Behälter etwas brennt, hockt der Vater Rustams mit einem hochgezogenen Knie und empfängt eine Feder vom Simurgh, der in seiner Größe Zal weit überragt. Die Bewegungen der beiden Hände des Mannes, der Zeigefinger der erhobenen Rechten und die flach ausgestreckte Handfläche der Linken sind Redegesten und weisen auf ein Gespräch hin.

7

DIE FEUERPROBE DES PRINZEN SIYAWUŠ (8,0×18,5 cm). Šâhnâme, Anfang des 14. Jahrhunderts. – Stiftung Preußischer Kulturbesitz, Tübinger Depot der Staatsbibliothek. Diez A Fol. 71, S. 30

Der unglückliche Prinz Siyawuš muß, um seine Unschuld zu beweisen, durch einen brennenden Scheiterhaufen reiten. Er erscheint auf dem Bild, dem Text entsprechend, auf seinem »nachtfarbenen« Roß Schabrang, »im weißen Gewand und goldenen Helm«. Links vor der schematisch dargestellten Burg strecken zwei Männer, erstaunt über das Ereignis, in charakteristisch christlicher Anbetungsgeste die gefalteten Hände zum Himmel. Unmittelbar auf der Mauerfläche ist der Kopf des Königs zu sehen, der von der Burg aus dem ungewöhnlichen Ereignis zusieht.

KRIEGSBILDER

Illustrationen zu Rešîdeddins Weltchronik

8

DIE EROBERUNG EINER STADT (37,2×29,0 cm). Câmi' et-tewârih, Anfang des 14. Jahrhunderts. – Stiftung Preußischer Kulturbesitz, Tübinger Depot der Staatsbibliothek. Diez A Fol. 70, S. 7

Auf einer an den Rändern mit schweren Ketten befestigten Schiffsbrücke, die von einem großen Tor über einen Fluß zu den gegenüberliegenden Festungsmauern führt, steht der Heerführer, der ein Zepter in der Hand hält, mit seinem Begleiter. Beide beobachten einen Kampf, der sich im Vordergrund vor ihren Augen abspielt. Eine Anzahl von Bogenschützen sind in Kampfhaltung auf den Mauern zu sehen. Im Schutze von nebeneinandergereihten Schilden bilden sie drei Gruppen, die aus je drei Männern bestehen. Vorn links am Bildrand steht eine große Wurfmaschine, die von zwei Männern bedient wird. Eine andere Wurfmaschine befindet sich rechts über der Mauer.

Es fällt auf, daß der Feind nicht zu sehen ist. Dargestellt wird nur die eine Partei der Kämpfenden, die Gegner fehlen. Geht es hier um eine Stadtbelagerung oder eine Stadtverteidigung? Nach dem Bild ist es schwer, hierüber etwas auszusagen. Durch einige charakteristische Züge der Szenerie werden wir an die topographische Lage Bagdads erinnert, die durch den Tigris in zwei Teile getrennt wird. Sollte es sich hier wirklich um das Stadtbild Bagdads handeln, könnte in diesem Blatt eine Darstellung der Eroberung Bagdads durch die Mongolen gesehen werden.

9

GEHETZTE PFERDE (24,4×26,1 cm). Câmi' et-tewârih, Anfang des 14. Jahrhunderts. – Stiftung Preußischer Kulturbesitz, Tübinger Depot der Staatsbibliothek. Diez A Fol. 70, S. 19 oben

Man sieht aufeinander zu stürmende Pferde. Hauptthema der Darstellung sind Tiere; die Menschen dienen nur als Staffage. Die vom rechten Bildrand stark überschnittene Kriegergruppe in heller Pinselausführung ist so verwischt gezeichnet, daß man sie zunächst übersieht. Ein einzelner Krieger steht auf der linken Seite, und hoch über eine Mauer gesetzt ist die Reihe der zielenden Bogenschützen als ein schmaler Streifen am oberen Blattrand zu sehen.

In diesem von drei Seiten umschlossenen Rahmen stürmen

[7] *Wilhelm von Rubruk*, Reise zu den Mongolen 1253–55, übersetzt und erläutert von *Dr. F. Risch*, Leipzig 1934
[8] Dschingis, Tschingis
[9] *von Rubruk/Risch*, Rec. IV, 359, S. 274
[10] *F. Zarncke* II, 14, (Der Priester Johannes, 2 Abh. der Kgl. Sächsischen Gesellschaft der Wissenschaften, Band VII, Leipzig 1879, Band VIII, Leipzig 1883), zitiert nach *F. Risch/P. Carpini* S. 18 f.
[11] *F. Zarncke* II, 21, zitiert nach *F. Risch/P. Carpini*, S. 23
[12] Der Brief findet sich bei Matthaeis von Paris, zitiert nach *P. Carpini*, S. 25
[13] *Johann De Plano Carpini*, Geschichte der Mongolen und Reisebericht 1245–47; übersetzt und erläutert von *F. Risch*, Leipzig 1930
[14] *von Rubruk/Risch*, S. 3
[15] Kiptschak (Das Land der Komanen) unterstand dem Batu Chan und seinem Sohn Sartach. *Hammer-Purgstall*, Geschichte der Goldenen Horde in Kiptschak, Pesth 1840, C. A. Hartleben's Verlag. – *B. Spuler*, Die Goldene Horde (Die Mongolen in Rußland 1223–1502), Leipzig 1943
[16] *von Rubruk/Risch*, Kap. XLVI, Rec. IV, 359, S. 274
[17] *P. Carpini*, S. 61
[18] Guyuk Khans Antwort, die im Jahre 1920 mit anderen wichtigen Aktenstücken in den Archiven des Vatikans aufgefunden wurde, findet sich bei *P. Carpini*, S. 378
[19] *von Rubruk/Risch*, Rec. IV, 369, S. 292
[20] *von Rubruk/Risch*, Rec. IV, 355, S. 268
[21] *Ricold* IX § 15, zitiert nach *F. Risch/P. Carpini*, 65, Anm. 3
[22] *P. Carpini*, S. 71
[23] *B. Spuler*, S. 238
[24] *B. Spuler*, S. 207. Die Besprengung mit Wein, der nach islamischer Religion zu den verbotenen Getränken gehört, wurde bei den Mohammedanern als besonders verletzend empfunden
[25] *B. Spuler*, S. 209, 240
[26] *E. Haenisch*, Die Kulturpolitik des mongolischen Weltreichs, Preußische Akademie der Wissenschaften, Vorträge und Schriften (Heft 11), Berlin 1943, S. 28
[27] Die Geheime Geschichte der Mongolen, S. 23
[28] *P. Carpini*, S. 66
[29] *P. Carpini*, S. 67
[30] *Max Müller*, Rel. Wiss. übs. 178–181, zitiert nach *F. Risch/P. Carpini*, S. 70 Anm. 17
[31] *von Rubruk/Risch*, Rec. IV, 222, S. 40
[32] *Marco Polo*, I. Kap. 49, S. 178
[33] *von Rubruk/Risch*, Rec. IV, 224, S. 42
[34] *Marco Polo*, I. Kap. 58, S. 200
[35] Wassaf bei D'Ohsson II, 529, zitiert nach *von Rubruk/Risch*, Rec. IV, 363, S. 281, Anm. 7
[36] *von Rubruk/Risch*, Rec. IV, 287, S. 161
[37] *von Rubruk/Risch*, Rec. IV, 315, S. 208
[38] *von Rubruk/Risch*, Rec. IV, 367, S. 288
[39] *Marco Polo*, I. Kap. 58, S. 200
[40] *von Rubruk/Risch*, Rec. IV, 237, S. 75
[41] Qazwînî – Schlöezer, S. 32, zitiert nach *von Rubruk/Risch*, Rec. IV, 238, S. 76, Anm. 13
[42] *W. Radloff* II, 52–55, zitiert nach *F. Risch/P. Carpini*, S. 292
[43] *P. Carpini*, S. 61–87. – *von Rubruk/Risch*, Rec. IV, 319. – *Marco Polo* II, Kap. 10
[44] *Huc*, Tatarie I, 62, zitiert nach *von Rubruk/Risch*, Rec. IV, 220, S. 35
[45] Die Geheime Geschichte der Mongolen, S. IX
[46] *von Rubruk/Risch*, Rec. IV, 220, S. 36
[47] *von Rubruk/Risch*, Rec. IV, 220–222, S. 35–40
[48] *von Rubruk/Risch*, Rec. IV, 222, S. 39
[49] *Ibn Batuta* II, 380, zitiert nach *von Rubruk/Risch*, Rec. IV, 240, S. 81, Anm. 1
[50] *von Rubruk/Risch*, Rec. IV, 267, S. 123
[51] *von Rubruk/Risch*, IV, 222, S. 40
[52] *P. Carpini*, S. 227
[53] *P. Carpini*, S. 238
[54] *Marco Polo* II, Kap. 16, S. 258–264
[55] *Rockhill/W. von Rubruk* XIII, Anm. 1, zitiert nach *F. Risch/P. Carpini*, S. 24
[56] *P. Carpini*, S. 55
[57] *W. Radloff* I, 259, zitiert nach *F. Risch/P. Carpini*, S. 55, Anm. 1
[58] *von Rubruk/Risch*, Rec. IV, 232, S. 60
[59] *W. Radloff* I, 259, zitiert nach *von Rubruk/Risch*, Rec. IV, 233, S. 62, Anm. 11
[60] *von Rubruk/Risch*, Rec. IV, 233, S. 63
[61] *P. Carpini*, S. 58
[62] *von Rubruk/Risch*, Rec. IV, 232, S. 60
[63] *P. Carpini*, S. 88, 211. – *von Rubruk/Risch*, Rec. IV, 395, S. 335
[64] *Marco Polo* I, Kap. 54
[65] *W. Radloff* I, S. 305–306, zitiert nach *F. Risch/P. Carpini*, S. 91, Anm. 7
[66] *P. Carpini*, S. 88
[67] Qazwînî-Schlöezer, S. 32, zitiert nach *F. Risch/P. Carpini*, S. 88, Anm. 1
[68] *W. Radloff* I, 311, zitiert nach *F. Risch/P. Carpini*, S. 88, Anm. 1
[69] Die Geheime Geschichte der Mongolen, S. 89
[70] Qazwînî-Schlöezer, S. 32, zitiert nach *F. Risch/P. Carpini*, S. 88, Anm. 2
[71] *Ibn Batuta* II, 362, zitiert nach *F. Risch/P. Carpini*, S. 89, Anm. 4
[72] *P. Carpini*, S. 92
[73] *W. Radloff* I, 312–313, zitiert nach *F. Risch/P. Carpini*, S. 90, Anm. 6
[74] *P. Carpini*, S. 93
[75] *von Rubruk/Risch*, Rec. IV, 259, S. 108
[76] *P. Carpini*, S. 105
[77] Die Geheime Geschichte der Mongolen, S. 116
[78] Die Geheime Geschichte der Mongolen, S. 125
[79] *von Rubruk/Risch*, Rec. IV, 227, S. 48
[80] *Marco Polo* II, Kap. 16, S. 258–264
[81] *Marco Polo* II, Kap. 14, S. 256
[82] *B. Spuler*, S. 403, Anm. 8
[83] *P. Carpini*, S. 173, Anm. 6
[84] *P. Carpini*, S. 170
[85] *P. Carpini*, S. 173, Anm. 7
[86] *P. Carpini*, S. 174, Anm. 10
[87] *Marco Polo* I, Kap. 54

[88] Die Geheime Geschichte der Mongolen, S. 159, Anm. 194

[89] *P. Carpini*, S. 181, Anm. 4

[90] Der Abschnitt über »Das Mongolische Recht« gibt eine sehr kurze Zusammenfassung aus *B. Spuler*, Die Mongolen in Iran, wieder. Näheres in diesem Buch S. 373–398

[91] *Marco Polo* I, Kap. 7, S. 233

[92] *Marco Polo* I, Kap. 7, S. 235

[93] *Rešideddin*, zitiert nach *Hans Lemke* Marco Polo S. 228, Anm. 2

[94] *Marco Polo* I, Kap. 58

[95] *von Rubruk/Risch*, Rec. IV, 334, S. 239

[96] *P. Carpini*, S. 238

[97] *Rudi Paret*, Textbelege zum islamischen Bildverbot, in: Das Werk des Künstlers. Hubert Schrade zum 60. Geburtstag, S. 36–48, Stuttgart 1961

[98] *R. Ettinghausen*, Arabische Malerei, Genf 1962, S. 61

[99] *R. Ettinghausen*, S. 82

[100] *R. Ettinghausen*, S. 83

[101] *R. Ettinghausen*, S. 67–103

[102] *R. Ettinghausen*, Tafelbild auf S. 76, 77, 101

[103] *M. S. Ipşiroğlu*, »Das Buch der Feste«, in Monatsschrift »Du«, Zürich, Oktober 1963

[104] vgl. Die Wiener Makamen des Harîrî aus dem Jahre 1334 (National-Bibliothek, A. F. 9).

[105] Ergebnisse der kgl. preußischen Turfan-Expeditionen. Die Buddhistische Spätantike in Mittelasien. *A. von Le Coq/E. Waldschmidt* VI. Neue Bildwerke II, Berlin MCMXXVIII

[106] In der vatikanischen Bibliothek befindet sich ein zweites Manuskript einer Liebesgeschichte aus dem 13. Jahrhundert, das auch illustriert ist (die Geschichte von Bayâd und Riyâd, Ms. Ar. 368. Leider ist die Handschrift im Text wie im Bild sehr unvollständig. Die Miniaturen sind im Stil der Bagdadschule gemalt und weisen hie und da auf Stileigentümlichkeiten der christlichen Buchmalerei des Mittelalters hin. Der Entstehungsort der Handschrift ist Marokko oder vielleicht sogar Spanien. Näheres darüber: *R. Ettinghausen*, S. 125–130. Tafelbilder auf S. 126, 127, 129

[107] *Alex. Baumgartner*, Geschichte der Weltl. I. 3., 4. Aufl. 1901, S. 470

[108] *M. S. Ipşiroğlu*, S. 1, Tafel I u. II

[109] *R. Ettinghausen*, Tafelbild auf S. 121

[110] *B. Gray*, Persische Malerei, Genf 1961, Tafelbild auf S. 41, 42

[111] *M. S. Ipşiroğlu*, Tafel XXVII

[112] *M. S. Ipşiroğlu*, S. 15–32, Bild 1–44

[113] Von den in chinesisch-mongolischem Stil illustrierten Handschriften besitzen wir heute nicht sehr viele. Eines der frühesten Werke dieser Art ist das Târîh-i Cahângušay des Alâeddin 'Atâ Malik el-Guwainî in der Bibliothèque Nationale in Paris (Sippl. pers. 205; datiert 1290). In eine etwas spätere Zeit fallen die Câmi'et-tewarih-Illustrationen von Rešîdeddin und das Tansuqnâma von Ša' ban (Aya Sofya Bibl. 3596 in Istanbul; datiert 1313), die »Sechs Diwane« des Mu'izzî (London, India Office, Ethé Nr. 912; datiert 1313–15) und das Garšaspnâme (Istanbul, Topkapu Sarayi Müzesi, Hazine 674; datiert 1354). Außer diesen illuminierten Handschriften sind nur noch einige Bündel loser, aus Handschriften herausgerissener mongolischer Miniaturen vorhanden, die sich in verschiedenen Klebebänden in Istanbul und Tübingen zusammenfanden und dadurch der Gegenwart erhalten blieben. *R. Ettinghausen* hat vor kurzem den mongolischen Miniaturen aus einem dieser Bände (Hazine 2153) einen Aufsatz gewidmet (On some Mongol Miniatures, Kunst des Orients 3, 1959, S. 44–65).

[114] Aus den Handschriften der vor- und nachmongolischen Zeit sind uns eine Reihe solcher Titelbilder erhalten. Das früheste stammt aus einer in Ägypten aufgefundenen Handschrift des 10. Jahrhunderts (Wien, Nationalbibliothek, Chart. Nr. 25751; *A. Grohmann* und *Th. W. Arnold*, Denkmäler islamischer Buchkunst, München 1929, Bildtafel 4). Die bekanntesten Exemplare solcher Bilder sind die ersten Blätter der Pseudo-Galen-Handschrift vom »Buch der Gegengifte« (Kitâb et-tiryaq, Mitte des 13. Jahrhunderts, Wien, Nationalbibliothek, A. F. 10, Folio 1 recto; *R. Ettinghausen*, S. 91) und der Harîrî-Handschrift (Maqamat-des Harîrî 1334, Wien, Nationalbibliothek, A. F. 9, Folio 1 recto; *R. Ettinghausen*, S. 148). Auch das Herrscherbild in dem Diez'schen Klebealbum in (Diez A, Fol. 71, S. 46) Tübingen gehört in diese Reihe (*M. S. Ipşiroğlu*, S. 12, Tafel IV)

[115] *M. S. Ipşiroğlu*, S. 52 u. 54

[116] *M. S. Ipşiroğlu*, S. 44–51

[117] Meister Ahmed Mûsa hatte nach Dust Mohammed außer dem erwähnten Mi' racnâme noch eine Abû Sa' îdnâme, ein Kalîla und Dimna und eine Geschichte von Çinggis Khan illustriert.

[118] Die erwähnten zwei Darstellungen des Paradieses befinden sich heute an zwei verschiedenen Stellen des Albums (Hazine 2154, S. 61a und S. 121a); jedoch gehören sie zueinander und bildeten ursprünglich eine volle Seite. Näheres über die Ikonographie dieser Himmelfahrtsdarstellungen: *R. Ettinghausen*, Persian Ascension Miniatures of the fourteenth Century, Accademia Nazionale dei Lincei, Rom 1957, S. 360–383

[119] *R. Ettinghausen*, Some Paintings in four Istanbul Albums, Ars Orientalis I, 1954, S. 102

[120] *M. S. Ipşiroğlu*, S. 15, Tafel XI

[121] *M. S. Ipşiroğlu*, S. 16, Tafel XII

[122] *E. Kühnel*, Malernamen in den Berliner »Saray«-Alben, in: Kunst des Orients III, 1959

[123] *M. S. Ipşiroğlu*, Saray-Alben, Abb. 96, 67, 102, 103, 104, 105, 106, 107, Wiesbaden 1964

INHALTSVERZEICHNIS

Dargestellt sind in unserem Blatt die emporlodernden Flammen und die den steilen Berghang anfliegenden Krähen; die Eulen, die sich in einem Felsenloch zusammendrängen, kann man nur mit Mühe erkennen. Dies erschwert das Verständnis der Erzählung, die den Künstler offensichtlich nur zur Darstellung eines Landschaftsbildes veranlaßt hat. Die Darstellungsweise der frühen »Kalîla und Dimna«-Illustrationen war erzählerisch, hier ist sie beschreibend. (Vergleiche zu diesem Blatt die Darstellung derselben Szene in den »Kalîla und Dimna«-Illustrationen 1200–1220 der Bibliothèque Nationale, Paris, MS. Arabe 3467, Folio 78 verso.)

18

DER ESEL UND DER SCHAKAL (11,2 × 19,0 cm). Kalîla und Dimna, 1370. – Istanbul, Universitätsbibliothek, F. 1422, S. 11a

Die Bildszenerie besteht aus einer Felskulisse und einem gekrümmten Baum im Hintergrund. Der Esel und der Schakal scheinen in ein spannendes Gespräch verwickelt zu sein. Die Tiere in »Kalîla und Dimna« haben die Gabe, sprechen zu können; in unserer Miniatur weisen die Physiognomien überdies menschliche Züge auf.

Der Künstler malt seine Tiere aus nächster Nähe. Die Nahsicht führt zu einer Verengung des Blickfeldes. Der Eindruck eines Bildausschnitts, der dadurch entsteht, wird noch durch Überschneidungen an den Seitenrändern und durch Teileinrahmungen innerhalb des Bildes unterstrichen.

Die landschaftliche Szenerie ist auf die Hauptfiguren der Fabel abgestimmt. Sie übernimmt einiges vom Rhythmus der Figuren und gibt ihnen einen Halt im Hintergrund. Die mit derben Umrissen und Kontrastschattierungen belebte Zeichnung des Felsengesteins gewinnt in den Tierdarstellungen eine verfeinerte und differenzierte Struktur, so daß sich selbst das borstige Fell des Esels von dem weichen des Schakals unterscheiden läßt.

RELIGIÖSE MALEREI UND FRÜHE HIMMELFAHRTSDARSTELLUNGEN

Meister Ahmed Mûsa

19

DER PROPHET MIT DEM ERZENGEL GABRIEL IM HIMMEL (28,0 × 24,0 cm). Himmelfahrt Mohammeds, zweites Viertel des 14. Jahrhunderts. – Istanbul, Topkapu Saray-Museum, Hazine 2154, S. 31b

Engelscharen empfangen den Propheten auf seiner Himmelsreise. Nach den auseinandergespreizten Flügeln zu schließen, treten die Engel erst in die Szenerie ein und haben noch keine Zeit gefunden, sich vor ihm zu ordnen. Dargestellt ist der überraschende Augenblick der Begegnung.

Der Prophet steht am äußersten Rande, rechts im Bild, mit dem Erzengel Gabriel, der ihn auf seiner Fahrt begleitet. Er ist der Betrachter und Erzähler, durch dessen Vermittlung wir an den wunderlichen Geschehnissen, die sich vor seinen Augen im Himmel abspielen, teilnehmen dürfen. Jedoch das Wunder wird hier mit menschlichen Augen beobachtet und dargestellt. An den Engelsgestalten deutet außer den Flügeln und den sassanidischen Kronen nichts darauf hin, daß sie übersinnliche Wesen sind. Der stämmige Wuchs gibt den göttlichen Boten den Charakter der Erdgebundenheit, und die mongolische Tracht mit dem kurzärmeligen Überrock entspricht genau der Mode, die im 14. Jahrhundert in den von den Mongolen besetzten Ländern herrschte. Offensichtlich kommt es dem Künstler an erster Stelle auf eine überzeugende Darstellung der Legende an. Die Vision des Propheten wird im Bild als ein zeitlich-räumliches Geschehen wiedergegeben. Tatsächlich werden die Reihen der Engelsfiguren von der riesigen Gestalt des vorne stehenden Engels so überschnitten, daß im Bild der Eindruck einer räumlichen Tiefe entsteht. Der Kopf des Propheten ist von einem Flammennimbus umgeben. Der Schleier vor dem Gesicht wurde in späterer Zeit hinzugemalt.

20

DER HIMMLISCHE HAHN (31,2 × 24,0 cm). Mi'racnâme, zweites Viertel des 14. Jahrhunderts. – Istanbul, Topkapu Saray-Museum, Hazine 2154, S. 61b

Dargestellt ist die riesige Gestalt eines auf einem hohen Sockel thronenden Hahnes, der weißschimmernd, auf verdunkeltem Silber des Bildgrundes geradezu den Blick des Betrachters festhält. Vor dem Thron beten ihn in Reihen geordnete Engelscharen an. Ihre zum Gebet erhobenen Hände und die nach oben gestreckten Köpfe weisen auf ihn hin. Auch der Erzengel rechts im Bild deutet auf ihn hin, während der Prophet neben ihm angesichts des Hahnes ruhig bleibt und die gekreuzten Hände ehrfurchtsvoll vor der Brust hält.

Jedoch handelt es sich in diesem Bild nicht um eine Anbetungsszene. Die Verehrung der Tiere widerspricht dem Islam, und unsere Miniatur bezieht sich wohl auf eine in der Mi'rac-Tradition erwähnte Episode, wonach ein riesengroßer Hahn als Wächter der ersten Morgenstrahlen im Himmel die Mohammedaner vor Sonnenaufgang zum Gebet rufen soll.

21

MOHAMMED ÜBER DEN BERGEN (34,5×24,5 cm). Mi'racnâme, zweites Viertel des 14. Jahrhunderts. – Istanbul, Topkapu Saray-Museum, Hazine 2154, S. 42b

Gabriel, begleitet von einer Schar kleinerer Engel, trägt den Propheten über die Berge. Eine feine Schraffur verwandelt den goldenen Bildgrund, der den Himmelsglanz (Hvarenah) andeutet, zu einer lichtdurchfluteten Atmosphäre, und wie aus einem emporlodernden Flammenmeer tauchen die weißen Bergspitzen und die einzelnen Engelsgestalten auf. Die Bewegungs- und Stellungsmotive der fliegenden, ruhenden und stehenden Engelsfiguren sind naturalistisch dargestellt.

22

DER PROPHET ÜBER DEM WASSER (18,0×24,0 cm). Mi'racnâme, zweites Viertel des 14. Jahrhunderts. – Istanbul, Topkapu Saray-Museum, Hazine 2154, S. 121a

Der Erzengel trägt den Propheten über das Wasser, das mit parallel laufenden Wellenlinien und Gischtspiralen wiedergegeben ist. Auch hier wird der Prophet auf den Schultern des Engels getragen. Das Bild ist in unseren Himmelfahrtsdarstellungen das einzige, in dem der Nachtflug Mohammeds in aller Einsamkeit vor sich geht.

23

STADTÜBERREICHUNG (35,7×25,3 cm). Mi'racnâme, zweites Viertel des 14. Jahrhunderts. - Istanbul, Topkapu Saray-Museum, Hazine 2154, 107a

Die Darstellung bezieht sich auf eine apokalyptische Vision des Propheten, wonach er, wie ein Überlieferungstext (Hadîs) berichtet, die bevorstehende Eroberung Konstantinopels durch einen großen islamischen Herrscher voraussagt.

Auf der oberen Bildfläche sitzt Mohammed(?) in geflammter Mandorla auf einem mit geometrischen Motiven bemusterten Teppich. Die erhobene rechte Hand (Redegeste) weist darauf hin, daß er spricht. Er spricht mit zwei Figuren, die in ehrfurchtsvoller Haltung ihm gegenüber vor dem Teppich kniend hocken. Über diesen Figuren schwebt eine gekrönte Engelgestalt mit ausgebreiteten Flügeln und überreicht der auf dem Teppich hockenden Hauptperson ein Stadtbild, das durch einen Strom in zwei Teile getrennt ist. Die Minarettformen der dargestellten Stadt sind ihrem Charakter nach türkisch. Die Annahme, daß mit dieser Darstellung die spätere islamische Metropole am Goldenen Horn gemeint sein kann, wird durch den blauen Wasserweg im Bild bekräftigt. Unter dieser Szene befinden sich eine Reihe von Sitzfiguren, die, der Hauptfigur zugewandt, zu kleineren Gruppen sich ordnen. Rechts im Bild zwei stehende Randfiguren, die zwischen dem Zuschauer und der dargestellten Szene als Vermittler- oder Erzählerfiguren auftreten.

Die Szene spielt sich ab in einer landschaftlichen Umgebung, die mit einigen Felsblöcken, Pflanzenmotiven und in unregelmäßigen Abständen voneinander getrennten Grasbüscheln wiedergegeben ist.

24

MOHAMMEDS HIMMELFAHRT (31,5×48,0 cm). Mi'racnâme, um 1350. – Istanbul, Topkapu Saray-Museum, Hazine 2152, S. 68b

Nach den weitverbreiteten Himmelfahrtsüberlieferungen unternimmt Mohammed seinen Flug auf dem Fabeltier Burak. Es ist mit einem geflügelten Pferdeleib dargestellt und hat einen Menschenkopf. Tief unten im Bild ist die Erde mit einigen Blattbüscheln, mit verstreut stehenden Sträuchern und einem Teich wiedergegeben. Hoch über der Erde schwebt Mohammed, von vier Engeln begleitet, auf dem Rücken des Burak. Sein Kopf ist wie die Köpfe der Engel mit einer Aureole umgeben. Hinter dem Propheten erscheint ein herrliches Wolkenmotiv, ein rotierendes geballtes Gebilde im Wind, das durch seine gezackten, feuerzungenartigen Ränder die Form einer lodernden Flamme hat. Leuchtende Körper laufen unten in zwei spitz zulaufende Enden aus, die wie Banner im Winde wehen.

25

ABRAHAMS OPFER (32,8×48,3 cm). Saray-Album, gegen Ende des 14. Jahrhunderts. – Istanbul, Topkapu Saray-Museum, Hazine 2153, S. 119a

Die Szene spielt in einer kahlen Berglandschaft zwischen großen Felsblöcken, die die Bildfläche bis nach oben hin füllen. Die Figuren haben mongolische Tracht. Die Bewegung des gekrönten Engels, der das Opfertier bringt, ist trotz der ausgebreiteten Flügel eher die eines springend Herbeieilenden, als die eines im Flug Herabschwebenden. Die Haltung des am Boden knienden Abraham geht auf die antike Opfergeste zurück. Er hält den gezückten Dolch am Halse des am Boden liegenden Jungen, während er seinen Kopf dem Engel zuwendet.

26

EIN ENGEL ERGREIFT EINEN JUNGEN PRINZEN (49,0×35,5 cm). Saray-Album, Ende des 14. Jahrhunderts. – Istanbul, Topkapu Saray-Museum, Hazine 2152, S. 69a

Ein Engel ergreift in gewaltigem Sturze einen jungen Prinzen, umarmt ihn und trägt ihn von der Erde weg. Der Prinz wird gekennzeichnet durch die Krone und die Tirazbänder mit der Aufschrift »as-sultan al-malik / der Sultan, der König«. Die Landschaft weist dekoratives Beiwerk auf und deutet bereits auf Stileigentümlichkeiten der Timuridenkunst hin.

27

DER KAMPF DER ENGEL MIT DEN DRACHEN (27,5×37,0 cm). Saray-Album, um 1500. – Istanbul, Topkapu Saray-Museum, Hazine 2153, S. 5b

Diese großartige Kampfszene, in der sechs Engel die Drachen am Abgrund fesseln, gehört ihrem ikonographischen Gehalt nach dem buddhistischen Glaubenskreis an. Die mächtigen Gestalten der im Flug kämpfenden Engel sind eng verwandt mit den Engelsfiguren Ahmed Mûsas. Sie tragen flatternde, bauschige Gewänder, und die glockenförmige Haartracht mit dem Zopf am Scheitel entspricht der Mode der vortimuridischen Zeit. Die in verschiedenen Richtungen gelagerten Felsformationen sind ihrer Struktur nach von rauher, poröser Beschaffenheit. Sie gleichen eher einer Borkenschicht als einem Gestein. Der spärliche Pflanzenwuchs besteht aus einem Baumstumpf und einigen Blättern. Die sich zwischen den Felsen schlängelnden Drachenleiber sind im naturalistischen Stil vom Ende des 14. Jahrhunderts dargestellt.

28

ILLUSTRATION ZU EINEM OSTASIATISCHEN MÄRCHEN (20,5×31,5 cm). Saray-Album, 14. Jahrhundert. – Istanbul, Topkapu Saray-Museum, Hazine 2153, S. 165a

In den Saray-Alben sind eine Reihe von Illustrationen zu einem ostasiatischen Märchen enthalten, die einst eine Rolle gebildet haben. Aus dieser Rolle herausgerissen, bilden sie heute ein Bündel von losen Blättern, zu dem auch die hier wiedergegebene Illustration gehört. Sie stellt zwei Dämonen dar, die im hastigen Flug zwei Schatztruhen unter ihren Armen tragen. Einer der Dämonen hat sonderbare Flügel in der Form eines Hirschgeweihs.

29

ESEL MIT ZWEI DÄMONEN (27,0×36,0 cm). Saray-Album, 14. Jahrhundert. – Istanbul, Topkapu Saray-Museum, Hazine 2153, S. 27b

30

ZWEI MUSIZIERENDE DÄMONEN (15,6×33,2 cm). Saray-Album, 14. Jahrhundert. – Istanbul, Topkapu Saray-Museum, Hazine 2153, S. 112a

31

DÄMON RAUBT EIN PFERD (20,5×16,5 cm). Saray-Album, 14. Jahrhundert. – Istanbul, Topkapu Saray-Museum, Hazine 2153, S. 38a

Eine Anzahl von Bildern in den Saray-Alben gibt uns Auskunft über die religiöse Vorstellungswelt der Mongolen in ihrer vorislamischen Zeit. Die Hauptfiguren sind in diesen Blättern Dämonen, die man als sonderbare Mischwesen bezeichnen kann. Sie unterscheiden sich vom Menschen durch ihre Hörner, Schwänze, Felle, ihre furchterregenden Fratzengesichter und noch andere tierisch-dämonische Attribute, die sich wie eine Maske auf den solid gebauten menschlichen Körper legen. Jedenfalls sind diese Ungeheuer den Menschen sehr ähnlich und gebärden sich auch wie Menschen: Sie halten einen abgemagerten Esel, spielen Musikinstrumente, entführen Pferde, ringen und tanzen wie die Menschen und opfern in einer Kulthandlung einer unbekannten Gottheit ein Pferd. Auch ihre Kleidung ist derjenigen der Menschen ähnlich: Sie tragen Schürzen und goldene Ringe um den Hals und an Händen und Füßen. Ihre Muskeln sind immer kraftstrotzend und zwar sowohl in Ruhestellung als auch im Kampf. Ob sie sitzen oder stehen, sich unterhalten oder ungeheuere Gewichte heben, immer sind ihre Körper gespannt und in Bewegung, immer sind sie bereit, aufzuspringen und sich zu recken und zu strecken. Einige Dämonengestalten erinnern geradezu an die phantastischen Schöpfungen der Gotik. Jedoch während diese in der christlichen Welt als Sinnbilder der negativen Mächte aufgefaßt werden, scheinen sie hier aus einer heidnischen Vorstellungswelt zu stammen, die eine Dualität von Himmel und Erde noch nicht kennt, die geheimnisvollen Mächte der Natur dämonisiert und sie zugleich zu bannen sucht. Vielleicht handelt es sich in unseren Bildern auch um Personifizierungen solcher Naturmächte, und es ist nicht ausgeschlossen, daß wir hier Schamanen vor uns haben, die mit bizarren Masken und in grotesken Tiergestalten Dämonen nachahmen und sie auf diese Weise zu bannen suchen, um Menschen und Tiere zu heilen.

32

PFERDEOPFER (19,5×49,5 cm). Saray-Album, 14. Jahrhundert. – Istanbul, Topkapu Saray-Museum, Hazine 2153, S. 40b

Das Bild stellt eine Kulthandlung dar, in der die Teilnehmer einen Schimmel zerstückeln und seine noch vom Blut triefenden Gliedmaßen wie Tücher um sich schwingen. Links hinter einem Hügel sind zwei Zuschauer als Ausschnitt sichtbar: Wir sehen nur ihre Köpfe und eine Hand im Gegenlicht, die sich mahnend gegen uns wendet. Vorne, am linken Bildrand eine Dämonenfigur, die im Begriff ist, eine mit beiden Händen emporgehobene Pferdekeule auf einen Hockenden zu schlagen, während dieser wie ein erstarrtes Symbol der Angst und des Entsetzens sich mit abwehrenden Händen zu schützen sucht. Die Ekstase findet in diesem grausigen Bild des bis zum Wahnsinn getriebenen Rausches ihren Höhepunkt.

33
TANZENDE DÄMONEN (22,5 × 48,0 cm). Saray-Album, 14. Jahrhundert. – Istanbul, Topkapu Saray-Museum, Hazine 2153, S. 64b

Auch dieses ekstatische Tanzbild gehört zu der Gruppe der Kultszenen. Der Zeichner zeigt sich hier als ein Meister der rhythmischen Bewegung. Wie benommen vom Anblick der Füße geht er auf im Tanz der Figuren, die er zeichnet. Dabei wird sein Zeichnen zum Ausdruck einer Berauschtheit durch den Rhythmus. Die Bewegung wird sukzessiv wiedergegeben. Sie wird in verschiedene, zeitlich aufeinander folgende Phasen zerlegt und in einer Wirbelmontage zusammengebracht, so daß vor unseren Augen alles in eine unbeschreibliche Bewegung gerät. Arme und Füße, Körper und wehende Tücher werden wie von einem Sturm umhergewirbelt.

34
DER KAMPF MIT DEM DÄMON (18,0 × 23,5 cm). Saray-Album, 14. Jahrhundert. – Istanbul, Topkapu Saray-Museum, Hazine 2153, S. 64a

Der Kampf des Helden mit dem Dämon ist eines der beliebtesten Themen der östlichen Epen. Mit voller Wucht wird der Gigant vom Menschen auf den Boden geschleudert. Ein seltenes Bild des Meisters Siyah Qalem, in dem auch ein Stück Natur, ein Baum dargestellt wird. Mit seinen tief in die Erde greifenden Wurzeln, verstümmelten Ästen, verwelkten Blättern, Hornrinden und dem quergeschnittenen Stamm, an dem man die Altersringe sieht, ist der Baum hier ein Sinnbild der Natur in ihren Lebensphasen. Er wiederholt den Rhythmus der vorne ringenden Figuren und verstärkt dadurch ihre Bewegung.

35
GIGANT, SICH AUF EINEN STOCK STÜTZEND (18,0 × 9,5 cm). Saray-Album, 14. Jahrhundert. – Istanbul, Topkapu Saray-Museum, Hazine 2153, S. 23a

Durch diese Silhouettenfigur auf glattem, weißem Bildgrund werden wir an die Schattenspiele erinnert. Diese gigantische Gestalt, die mit dem einen Bein fest den Stock umschlingt und federleicht auf einem Fuß balanciert, könnte eine der Hauptfiguren eines Schattenspiels sein, die sich, aus Leder geschnitten, hinter dem Vorhang bewegt, und deren bloßen Schatten wir sehen. Der Schatten ist hier nicht tote Fläche. Belebt durch den farbigen Lichtreflex erhält er eine Transparenz, die uns den Körper klar in seinem Bau erkennen läßt.

36
STEINBRUCH (16,5 × 26,5 cm). Saray-Album, 14. Jahrhundert. – Istanbul, Topkapu Saray-Museum, Hazine 2153, S. 105a

Rechts wird ein Mann von einem Felsen, der auf seinen Kopf herabfällt, auf die Erde geschleudert. Wie vom Blitz getroffen, liegt er mit verrenkten Beinen bäuchlings auf dem Boden und sein Turban rollt ihm davon. Sein Begleiter, durch den Anblick dieses Unglücksfalles erstarrt, beißt in den Zeigefinger und hält mit der Rechten seinen Kopf. Eine typische Geste des Staunens, die uns im Osten, im Bild wie im Leben, häufig begegnet. Einige Felsbrocken, die auf die Bildfläche verstreut sind, deuten die landschaftliche Bildszenerie an.

37
UNTERHALTUNGSSZENE (12,0 × 17,3 cm). Saray-Album, 14. Jahrhundert. – Istanbul, Topkapu Saray-Museum, Hazine 2153, S. 140a

Auch hier haben wir eine Darstellung, die einer Schattenspielszene zum Verwechseln ähnlich ist. Dieser Eindruck stellt sich besonders durch die Konversationsszene ein und die Wiedergabe der Figuren, die, wie mit der Schere geschnitten, auf dem hellen Bildschirm als dunkle Schatten erscheinen. Die ganze Ausdruckskraft der Linie sammelt sich an den scharfen Rändern, die den Blick des Betrachters geradezu fesseln. Jedoch sind die Binnenformen dank einer sehr bewußten und manierierten Belichtung nicht weniger bedeutend als die Umrisse. Die Figuren werden von innen her mit einem unregelmäßig flimmernden Licht beleuchtet, das den dichten massigen Schatten stellenweise auflöst und uns die Anatomie des Körpers deutlich sichtbar macht. Der Körper dieser schmiegsam-gewundenen Gestalten, die um Hals und Arme Tücher geschlungen haben, ist feingliedrig und in den Gelenken beweglich; die Figuren sind selbst beim Sitzen so leicht und elastisch, daß Beine und Füße in ihren komplizierten Stellungen wie im Tanz zu balancieren scheinen.

38
DER HOCKENDE RIESE (13,0 × 12,5 cm). Saray-Album, 14. Jahrhundert. – Istanbul, Topkapu Saray-Museum, Hazine 2153, S. 28a

Die hockende Gestalt dieses schwarzen Riesen zeichnet sich durch eine bildhauerische Monumentalität aus, die echte und überzeugende Schwere ausdrückt. Die Arme und Füße, schwer und massig, sind wie lebendige Keulen, in die der Künstler die ganze Energie des Körpers zusammendrängt. Die Beine öffnen sich, als wollten sie die unsichtbare aber doch stets so gegenwärtige Erde umklammern.

39

TANZENDE SCHAMANEN (18,5×25,0 cm). Saray-Album, 14. Jahrhundert. – Istanbul, Topkapu Saray-Museum, Hazine 2153, S. 34b

Mit elementarer Wucht springen die Körper der schwarzen Kolosse auf der Erde. Die Bewegung scheint in der Figur zu beginnen, die uns den Rücken kehrt, und sich in dem Sprung der uns zugewandten Figur fortzusetzen. Die Drehung deutet sehr geschickt die ausdrucksvolle Verrenkung der Glieder und vor allem der Fußsohlen an. Auch die flatternden Tuchbänder nehmen an der rasenden Körperbewegung teil. Im Gegensatz zum klassischen Tanz versucht die Bewegung hier den Körper nicht von der Erde zu lösen, sondern sie zeigt, wie diese ihn an sich zieht, womit sein Gewicht stark spürbar wird. Gegen die Erde strebt alles und von der Erde schießt alles empor. Wichtig ist hier nicht die Harmonie, sondern der Rhythmus der Bewegung. Nach diesem Rhythmus zerlegt der Meister die Bewegungen in einzelne Phasen und bringt sie in einer Montage zusammen, wodurch beim Betrachter der Eindruck eines rhythmisierten Tanzes entsteht.

40

STEHENDE MÄNNER IN UNTERHALTUNG (25,5×16,0 cm). Saray-Album, 14. Jahrhundert. – Istanbul, Topkapu Saray-Museum, Hazine 2153, S. 38a

Mächtige alte Männer spielen in den Bildern von Siyah Qalem eine Hauptrolle. Immer wieder begegnen wir ihrer majestätischen Haltung und ihrem harten Ausdruck. Wenn sich diese bärtigen Männer auf einen Stock lehnen, so erscheinen sie in ihrer unerschütterlichen Festigkeit wie Türme. Sie haften so fest an der Erde, daß ihre ganze Kraft von ihrem Gewicht herzurühren scheint. Der Bau dieser stämmigen Körper wird selbst unter der welligen Flut der bauschigen Gewandfalten sichtbar. Die Muskeln haben übertriebene Schwellungen und schon allein das Festhalten des Wanderstabes bringt eine große elementare Kraft zur Geltung, die auszudrücken größtes Anliegen des Meisters gewesen zu sein scheint.

41

NOMADENFAMILIE (14,0 × 25,0 cm). Saray-Album, 14. Jahrhundert. – Istanbul, Topkapu Saray-Museum, Hazine 2153, S. 23b

In der harten Welt des Meisters Siyah Qalem bildet diese idyllische Familienszene eine Ausnahme und zeigt, daß ihm der Sinn für Humor nicht gefehlt hat. Die Naturbeobachtung, die sich sonst in konventionellen Formen ausspricht, erhält hier eine gewisse persönliche Note und wir haben den Eindruck, als handele es sich um die Beschreibung einer Szene aus dem alltäglichen Lagerleben. Der alte Mann, der Vater der Familie, füttert das Tier. Mit kindlicher Neugier schaut einer der Knaben zu, die anderen drängen sich um die Mutter herum. Mit ihren Kleidern und Kopfbedeckungen erinnern uns diese Menschen an die Nomaden, die man noch heute in Süd-Anatolien antreffen kann.

42

NOMADEN (14,0×26,0 cm). Saray-Album, 14. Jahrhundert. – Istanbul, Topkapu Saray-Museum, Hazine2153, S. 55a

Wir sehen Menschen, die sich ihr ganzes Leben lang auf einer beschwerlichen Fußwanderung befinden. Ihre Füße gleichen ungefügen Tatzen und sind so ausdrucksvoll gestaltet wie ihre Gesichter. Der vom schwarzen Fleck des Esels sich abhebende Greis in der Mitte bildet mit seinen zwei Begleitern eine Gruppe. Die Figuren drücken sich eng aneinander. Diese Mittelgruppe verbindet sich auf geschickte Weise mit den Figuren an den Rändern. Die letzte Figur der Dreiergruppe blickt gespannt auf den Träger des Kranken, drängt sich aber eng an die Gruppe der Seinen heran. Der Führer rechts fügt sich durch den Arm und den Blick in die Gruppe der Schreitenden ein. Dieser ganze Zusammenhang wird noch einmal durch das Spiel der Blicke hervorgehoben, die alle auf die Mitte hinweisen und gewissermaßen das Kompositionsschema abgeben.
Trotz des großen Bemühens, die Komposition zusammenhängend zu halten, gelingt es dem Maler doch nicht, die Gewohnheit, alles Dargestellte einzeln aneinanderzureihen, zu überwinden. Tatsächlich erscheinen die Personen eine gleichwertig neben die andere gestellt auf derselben Ebene; sie sind wie auf der Bühne nur bestrebt, einander nicht zu verdecken, damit man jede einzelne gut sehen kann. Dies erklärt die peinlich genaue Darstellung der vielen Füße, von denen kein einziger dem Ganzen geopfert wird.

43

NOMADENLAGER (19,5×37,0 cm). Saray-Album, 14. Jahrhundert. – Istanbul, Topkapu Saray-Museum, Hazine 2153, S. 1b

Auch dieses Bild gehört zu den seltenen Darstellungen des Meisters Siyah Qualem, in denen der Darstellungsstil beschreibend wird: Zwei Männer im Gespräch waschen ihre Kleider, der Feuerbläser sorgt für die Zubereitung des Mahles, weidende und spielende Tiere, Nomadenwaffen, Sättel und Lederzeug werden eines neben dem anderen wiedergegeben. Zweifellos ist der Meister dieses Blattes bestrebt, möglichst naturgetreu zu sein. Dennoch entsteht seine Zeichnung nicht aus einer direkten Naturbeobachtung;

sie ist weit davon entfernt, das was sie darstellt, in seiner alltäglichen Erscheinung aufzufangen. Wir haben Bildformen vor uns, die mehr oder weniger den Charakter schematisierter Erinnerungsbilder haben. Einige dieser Bilder, wie etwa das Motiv des Feuerbläsers oder des spielenden Hundepaars, kommen auch in anderen Zeichnungen der Saray-Alben vor (Hazine 2153, S. 51b). Der persönliche Beitrag des Künstlers geht in diesem Blatt so sehr in der Bildüberlieferung auf, daß wir nicht mehr imstande sind, ihn im einzelnen festzustellen.

44

EIN NOMADE FÜHRT SEIN ABGEMAGERTES PFERD AM ZÜGEL (13,5×25,0 cm). Saray-Album, 14. Jahrhundert. – Istanbul, Topkapu Saray-Museum, Hazine 2153, S. 118b

Die Linie, unterstützt durch eine kontrastreiche Schattierung, ist das typische Ausdrucksmittel Siyah Qalems. Mit diesem Mittel beschreibt er hier in einem unüberbietbaren Realismus die Kleiderfalten des Nomaden, die Mähne und die Rippen des Pferdes. Auch in dieser Zeichnung ist die Bewegung des gehenden Tieres nicht erstarrt: Die Füße des Pferdes sind nach demselben Schema dargestellt wie im vorigen Bild.

45

EIN NOMADE WEIDET SEIN PFERD (16,2×25,5 cm). Saray-Album, 14. Jahrhundert. – Istanbul, Topkapu Saray-Museum, Hazine 2153, S. 84a

Mit beeindruckender Wirklichkeitstreue zeigt unser Bild einen Nomaden, der sein Pferd weidet. Das grasende Tier wendet gerade seinen Kopf: Maul und Nase sehen wir von der Seite, die Stirn frontal, das Kinn dagegen wird wieder von der Seite gesehen. Dieser Pferdekopf, der von mehreren Blickpunkten aus aufgenommen ist, wirkt so abstrakt wie eine Picassozeichnung. Trotz des augenfälligen Bestrebens, der Natur treu zu bleiben, kann sich der Maler dieses Blattes doch nicht zu einem einzigen Blickpunkt entschließen. Dies ermöglicht dem Künstler, die Bewegung in ihren zeitlich aufeinanderfolgenden Phasen wiederzugeben. Auch die Füße des Tieres, die abwechselnd von oben und unten gesehen werden, weisen darauf hin, daß der Künstler das Gehen und Schreiten nicht simultan, sondern sukzessiv darstellt.

46

EIN PFERD WIRD DRESSIERT (15,5×25,4 cm). Saray-Album, 14. Jahrhundert. - Istanbul, Topkapu Saray-Museum, Hazine 2160, S. 506

Ein weißbärtiger Neger züchtigt mit der Reitpeitsche ein Pferd, das mit Zügelriemen am Pflock angebunden ist. Der massige Körper des sich auf dem Boden wälzenden Tieres ist in seiner Bewegung meisterhaft wiedergegeben, und der nach oben gerichtete Kopf mit wildzerzauster Mähne gibt ein eklatantes Beispiel für eine Kunst, die auf Ausdruck bedacht ist. Das Bild stammt aus dem Umkreis der Siyah Qalem-Schule.

47

KRIEGER MIT PFERD (21,3×24,5 cm). Saray-Album, 14. Jahrhundert. – Istanbul, Topkapu Saray-Museum, Hazine 2160, S. 86b

Dargestellt ist ein Krieger, der im Begriff ist, den Schwanz seines Streitrosses zu einem Zopf zu flechten. Dunkelgrünes Laub im Hintergrund und einige Sternblumen und Blattbüschel am Boden bestimmen die landschaftliche Bildszenerie. Der Krieger trägt einen reich verzierten Gürtel über dem goldbestickten blauen Rock und einen goldenen Helm, der mit kostbarem Pelz umhüllt ist. Das hellbraune Pferd mit der herrlichen Mähne und dem gestreiften Rücken steht mit zurückgewandtem Kopf da. Es ist mit einem Zügelriemen an einem Pflock angebunden.
Das auf Seide gemalte Blatt stammt nicht aus dem unmittelbaren Kunstkreis, zu dem die Werke von Siyah Qalem gehören, es kommt aber doch aus dieser Kunstrichtung. Auch hier ist der Einfluß des Fernen Ostens nicht zu verleugnen, obwohl Gesamtkonzeption, Entwurf und Ausführung eine gewisse Selbständigkeit aufweisen.

LANDSCHAFTSMALEREI, TIERZEICHNUNGEN

48

VOGEL IN FELSIGER LANDSCHAFT (33,0×46,5 cm). Saray-Album, Zweite Hälfte des 14. Jahrhunderts. – Istanbul, Topkapu Saray-Museum, Hazine 2153, S. 30a

Der Künstler dieses Blattes weiß, daß durch die Verwendung von Nah- und Fernsicht im Bild der Eindruck der Tiefe besonders stark zum Ausdruck gebracht werden kann. Der Vogel im Vordergrund ist aus nächster Nähe dargestellt; er wirkt groß und man kann selbst die Federn der Flügel deutlich unterscheiden. Im Gegensatz zu diesem Vogel sind die drei Bäume im Mittelgrund winzig klein dargestellt. Durch diese Spannung im Bild rücken die derb gezeichneten Felsblöcke im Hintergrund in die Weite und es entsteht der Eindruck, als ob wir in einer von hohen Bergen umschlossenen Landschaft stünden. Die Größe der Natur zeigt sich nicht nur in den weit hingebreiteten

Landschaften, sie kann durch die Perspektive auch in einem Teilausschnitt erweckt werden. Das Spiel mit der Perspektive war bei den mongolischen Künstlern sehr beliebt, wie wir aus den vielen Landschaftsbildern ersehen können.

49

SOMMERLANDSCHAFT (32,5 × 42,5 cm). Saray-Album, Mitte des 14. Jahrhunderts. – Istanbul, Topkapu Saray-Museum, Hazine 2153, S. 68a

Im mongolischen Landschaftsbild des 14. Jahrhunderts gibt es die Perspektive. Davon zeugt diese aus der Vogelschau gesehene Panorama ähnliche Ansicht, in der Bäume und Berge, je mehr das Auge ins Bildinnere hineingeht, kleiner werden und dadurch den Eindruck der Tiefe erzeugen. Die in Pastellfarben dargestellte Landschaft im Mittelgrund weist auf eine naturalistisch-pointilistische Malweise hin. Das brausend strömende Wasser im Vordergrund ist dagegen mit Spiralgischtmustern schematisch wiedergegeben. Das herkömmliche dekorative Spiralwolkenmuster ist aber wiederum ersetzt durch naturalistische bunte Wolkenbildungen, die eine unregelmäßige marmorähnliche Zeichnung aufweisen. Vorgefundene Formen und persönliche Beobachtung, das Abstrakt-Dekorative und Plastisch-Räumliche verschmelzen zu einer sonderbaren Synthese, die für die chinesisch-mongolische Kunstrichtung bezeichnend ist.

50

DER KAMPF ISKANDARS MIT DEN WÖLFEN (32,5 × 28,5 cm). Saray-Album, 1370. – Istanbul, Topkapu Saray-Museum, Hazine 2153, S. 73b

Das Bild bezieht sich auf eine Šâhnâme-Erzählung, in der über den Kampf Iskandars mit Fabelwesen berichtet wird. Jedoch ist die Szene in unserem Blatt nur der Anlaß für die Darstellung einer mit Bäumen bewachsenen Berglandschaft, die die Aufmerksamkeit des Betrachters voll auf sich zieht. Die Art der Wiedergabe fügt sich dem naturalistisch-beschreibenden Stil aus der zweiten Hälfte des 14. Jahrhunderts ein.

51

JAGDSZENE (18 × 27 cm). Saray-Album, Ende des 14. Jahrhunderts. - Istanbul, Topkapu Saray-Museum, Hazine 2160, S. 84a

Vier mongolische Reiter mit Beizfalken und Hund ziehen einen steilen Hügel entlang auf die Jagd. Die diagonale Anordnung der von der Hügelrampe stark überschnittenen Figuren läßt in das Bildinnere hinein einen Bewegungszug entstehen, der die räumliche Gestaltung des Bildes bestimmt. Im Vordergrund sind einige flache, aufeinandergeschichtete Felsblöcke, ein unbelaubter Baum mit zackigen Ästen und zwei erlegte Panther zu sehen.

In der Wiedergabe der Landschaft und der Figuren weist die Zeichnung bereits auf Stileigentümlichkeiten der Timuridenzeit hin. Die leuchtende und kontrastreiche Farbgebung zeugt von dem differenzierten und überfeinerten Farbempfinden der mongolischen Kunst um 1400.

52

FABELTIERE (26,0 × 36,7 cm). Saray-Album, um 1400. – Istanbul, Topkapu Saray-Museum, Hazine 2153, S. 170b

Die Saray-Alben enthalten eine umfangreiche Sammlung von dekorativen Zeichnungen ostasiatischer Prägung, die mit ihrem organisch bewegten Linienrhythmus einen der abstrakten Arabeske geradezu entgegengesetzten Charakter tragen. Die in diesen Zeichnungen vorkommenden Motive, wie etwa der Drache, der Simurgh, der Löwen- und Hirschkilin und andere kämpfende Fabelwesen weisen ebenfalls auf ihre Herkunft aus dem Fernen Osten hin. Sie wurden aus der zentralasiatischen Heimat der Mongolen eingeführt und sind dann in das allgemeine Bildgut des Nahen Ostens übergegangen.

Das Blatt enthält einige Baum- und Wolkenmotive und zwei einander gegenüberstehende Fabeltiere, die an Brust und Schenkeln flammende Flügel haben und mit zurückgewandtem Kopf und eingeknickten Beinen im Flug dargestellt sind. Die in verschiedene Richtungen sich entfaltenden Bewegungen der Tiere passen sich dem Rhythmus der ihre Körper umschlingenden flatternden Bänder an.

53

TIERKAMPF (14,5 × 25,5 cm). Saray-Album, um 1400. – Istanbul, Topkapu Saray-Museum, Hazine 2160, S. 90b

54

HYÄNEN (16,0 × 32,0 cm). Saray-Album, um 1400. – Istanbul, Topkapu Saray-Museum, Hazine 2153, S. 19b

In den Tierzeichnungen kommt es zu einer Verschmelzung der nahöstlichen Überlieferung mit der Bildtradition des Fernen Ostens. Obwohl in diesen Blättern die Naturähnlichkeit oft verblüffende Formen annehmen kann, ist in ihnen der persönliche Beitrag des Künstlers recht gering. Die Bilder entspringen nicht einer persönlichen Beobachtung, sondern stellen die für jede Tierart kennzeichnenden Bewegungsmotive dar, wie etwa das Fliehen des Hirsches, das Lauern der Hyäne und das Angreifen des Löwen. Diese Bewegungsmotive werden von einer naturalistischen Bildtradition getragen und von Generation zu Generation weitergegeben.

ANMERKUNGEN

ABKÜRZUNGEN DER HAUPTSÄCHLICH ANGEFÜHRTEN WERKE

Marco Polo	Reisen des Venezianers Marco Polo, bearbeitet von *Dr. Hans Lemke*, Hamburg 1907, I. Kap. 49, S. 78
P. Carpini	*Johann De Plano Carpini*, Geschichte der Mongolen und Reisebericht 1245–47; übersetzt und erläutert von *F. Risch*, Leipzig 1930
von Rubruk/Risch	*Wilhelm von Rubruk*, Reise zu den Mongolen 1253–55; übersetzt und erläutert von *F. Risch*, Leipzig 1934
E. Haenisch	Die Geheime Geschichte der Mongolen (aus einer mongolischen Niederschrift des Jahres 1240 von der Insel Kode'e im Keluren-Fluß), erstmalig übersetzt und erläutert von *E. Haenisch*, Leipzig 1948 (zweite Auflage)
B. Spuler	*B. Spuler*, Die Mongolen in Iran, Berlin 1955
R. Ettinghausen	*R. Ettinghausen*, Arabische Malerei, Genf 1962
M. S. Ipşiroğlu	*M. S. Ipşiroğlu*, Saray-Alben, Wiesbaden 1964

[1] *R. Ettinghausen*, Some Paintings in four Istanbul Albums, Ars Orientalis 1, 1954, S. 101

[2] *M. Aurel Stein*, Sand-buried ruins of Khotan, London 1904, S. 232. – *Albert von Le Coq*, Von Land und Leuten in Ostturkestan, Leipzig 1928, S. 15, 16

[3] Die Osmanen nannten solche Alben mit einem aus dem Arabischen entlehnten Wort »muraqqa'a«, was soviel wie Klebe- oder Flickarbeit bedeutet. Der Bildbestand dieser Alben wurde in der Tat fast wahllos aus Werken verschiedener Epochen und Stile zusammengestellt, und da man die einzelnen Blätter bei der Paginierung noch unüberlegt durcheinanderbrachte, wurden die Alben Sammelsurien, in denen selbst der Eingeweihte sich schwer zurechtfinden kann.

[4] In den letzten zehn Jahren wurde im Topkapu-Museum zu Istanbul der wissenschaftlichen Forschung eine Reihe von Saray-Alben erschlossen, von denen ganz besonders vier Bände (Hazine 2152, 2153, 2154, 2160) zu mehrfachen Untersuchungen und Diskussionen Anlaß gaben: *I. Stchoukine*, Notes sur les peintures persanes du Serail de Stamboul, Journal Asiatique 226, 1935, S. 117–140. – *O. Aslanapa*, Türkische Miniaturmalerei am Hofe Mehmet des Eroberers in Istanbul. – *M. Loehr*, The Chinese Elements in the Istanbul Miniatures. – *R. Ettinghausen*, Some Paintings in four Istanbul Albums, Ars Orientalis 1, 1954, S. 77–103. – *Ders.*, On some Mongol Miniatures, Kunst des Orients 3, 1959, S. 44–65. – *Ders.*, Persian Ascension Miniatures of the fourteenth Century, Accademia Nazionale dei Lincei, Rom 1957, S. 360–383. – *M. S. Ipşiroğlu / S. Eyuboğlu*, Fatih Albumuna bir bakiş. Sur l'album du Conquérant, Istanbul 1955, Istanbul Üniversitesi Edebiyat Fakültesi Yayinlari 622

Zu den Istanbuler Alben gesellten sich inzwischen vier weitere Bände in Deutschland (Diez A, Fol. 70–73), die im Jahre 1817 mit zahlreichen orientalischen Handschriften aus dem Besitz des Gesandten Friedrich Heinrich von Diez an die damalige königliche Bibliothek gelangten und zur Zeit in der Stiftung des Preußischen Kulturbesitzes, Tübinger Depot der Staatsbibliothek verwahrt werden. *M. S. Ipşiroğlu*, Saray-Alben, Diez'sche Klebebände aus den Berliner Sammlungen, Wiesbaden 1964. – *E. Kühnel*, Malernamen in den Berliner »Saray«-Alben, in Kunst des Orients III, 1959

Die Tübinger und Istanbuler Saray-Alben sind der Aufmachung und dem Inhalt nach eng verwandt, und es wird sich hier und dort zweifellos um Teile einer Sammlung handeln, die vermutlich zur Zeit Mehmeds des Eroberers für die Sultansbibliothek zusammengestellt wurde. *M. S. Ipşiroğlu*, Mongolische Miniaturen, Pantheon, Heft 5, 1964, S. 288–301

[5] Manghol un Niuca Tobca'an (Yün-c'ao pi-schi), Geheime Geschichte der Mongolen (aus einer mongolischen Niederschrift des Jahres 1240 von der Insel Kode'e im Keluren-Fluß), erstmalig übersetzt und erläutert von *E. Haenisch*, Leipzig 1948 (zweite Auflage).

[6] Mongke, Möngke, Mengku, Mengu